FABRICE COLIN

La Saga Mendelson

TOME 2 • LES INSOUMIS

Conception graphique et mise en page : Frédérique Deviller

ISBN : 978-2-02-099637-2
N° 099637-1
Dépôt légal : novembre 2009

Loi n° 49-956 du 16 juillet 1949 sur les publications destinées à la jeunesse

Mais dans son rêve
Chacun de nous est un navire
Qui avance et se bat
Furieux, aveugle, avec le vent.

Zisho Weinper, Pourquoi ?

La famille Mendelson

de 1869 à nos jours

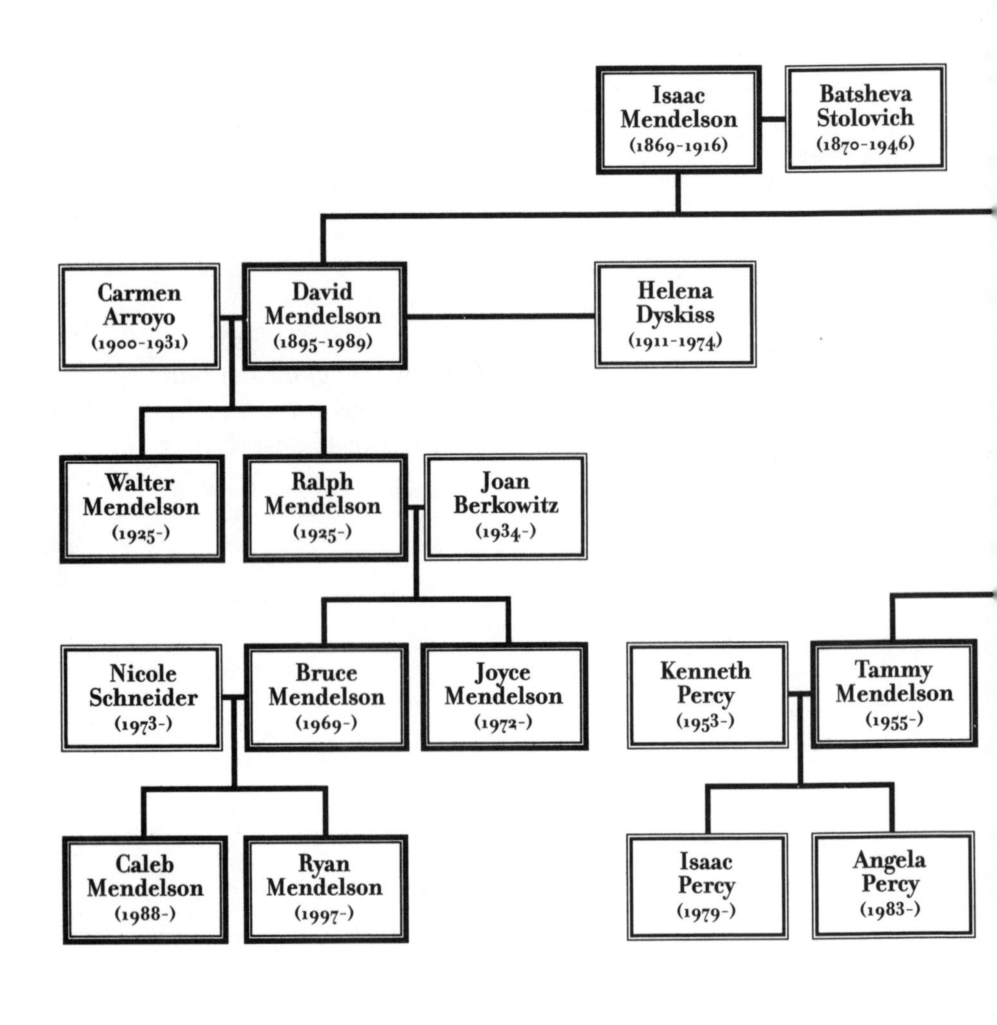

Isaac Mendelson (1869-1916)
Batsheva Stolovich (1870-1946)
Carmen Arroyo (1900-1931)
David Mendelson (1895-1989)
Helena Dyskiss (1911-1974)
Walter Mendelson (1925-)
Ralph Mendelson (1925-)
Joan Berkowitz (1934-)
Nicole Schneider (1973-)
Bruce Mendelson (1969-)
Joyce Mendelson (1972-)
Kenneth Percy (1953-)
Tammy Mendelson (1955-)
Caleb Mendelson (1988-)
Ryan Mendelson (1997-)
Isaac Percy (1979-)
Angela Percy (1983-)
Descendant direct.

arbre généalogique

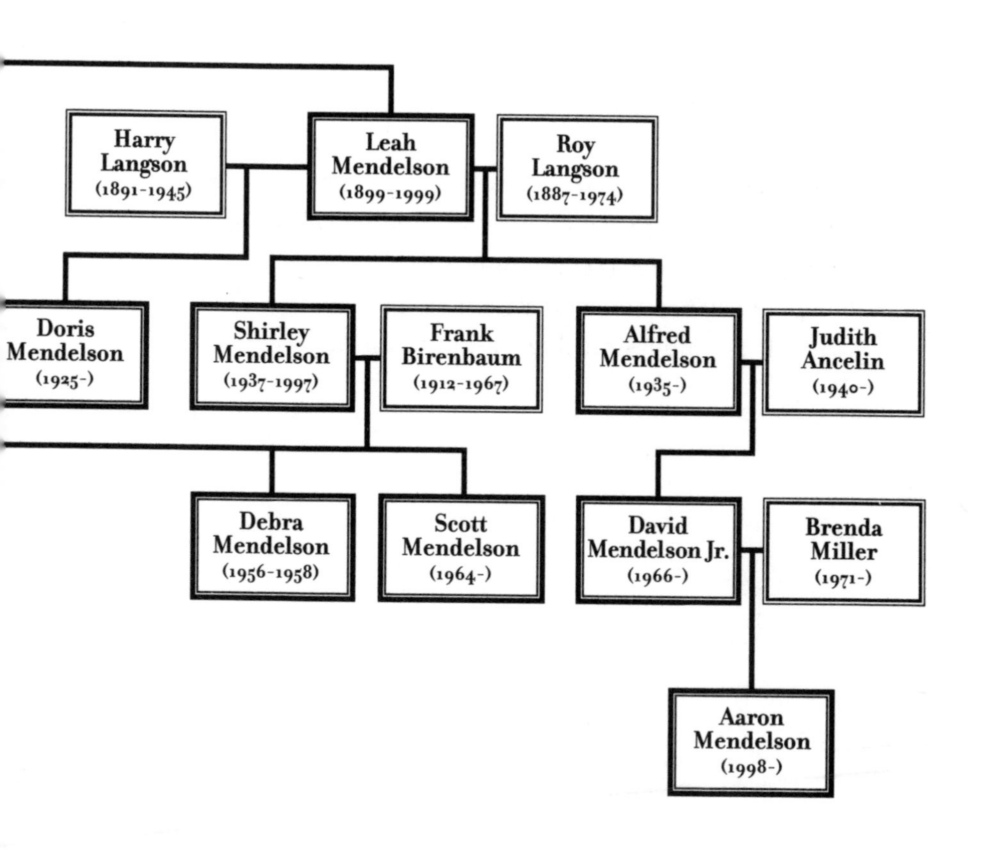

AVANT-PROPOS

L'histoire qui suit n'a pas été vécue par l'auteur : à l'exception du chapitre final du troisième tome, elle n'est basée que sur des témoignages et des entretiens.

Pour cette raison, et malgré un souci constant d'exactitude, il est impossible d'en garantir l'absolue véracité.

ISAAC MENDELSON EST MORT : sa femme Batsheva et ses deux enfants quittent précipitamment l'Europe pour les États-Unis. Après Odessa puis Vienne, ils arrivent à New York. Dès 1918, reprennant la route, ils s'installent à Los Angeles. David, l'aîné, trouve un travail dans l'industrie du cinéma ; en février 1922, il épouse Carmen Arroyo, qui lui donne des jumeaux, trois ans plus tard. De son côté, sa sœur Leah convole avec le réalisateur Harry Langson. Dans sa villa de Beverly Hills, elle s'occupe de leur fille Doris, née elle aussi en 1925.

Mais l'existence, chez les Mendelson, ne suit jamais un cours tranquille bien longtemps. Très vite, David découvre que sa femme le trompe et que le métier de scénariste n'est pas fait pour lui ; Leah, pour sa part, doit composer avec l'alcoolisme de son mari.

En 1929, à la suite d'une expérience de tournage désastreuse, le fils de Batsheva quitte Hollywood. Fermement décidé à rompre avec sa vie d'antan, il obtient un emploi au *New York Times*…

1930-1938

Dans les collines

Mi-novembre 1929, deux semaines seulement après le terrible krach boursier qui va plonger le pays dans une crise économique sans précédent, David Mendelson est de retour à New York, sans sa femme mais avec ses deux fils, alors âgés de quatre ans.

Carmen, on l'imagine, s'est d'abord violemment opposée à ce départ. Mais son mari n'a tenu aucun compte de ses protestations. Aux premiers jours du mois, épuisé par une énième dispute, il s'est même décidé à demander le divorce.

« *Ma chère belle-sœur, raconte Leah, est entrée dans une rage folle,* gloib mir[1], *et il a fallu emmener Ralph et Walter à l'écart le temps qu'elle s'arrache les cheveux et brise quelques assiettes.*

---

1. « *Croyez-moi.* »

Mais en définitive, elle n'a pas mené le combat que nous attendions d'elle. Si vous voulez mon avis, cette séparation la soulageait presque autant que son époux. La vie avec lui n'était simplement plus possible. Trop d'erreurs, trop de différences, et presque plus d'amour. Bien entendu, elle lui a promis des nouvelles de son avocat. David a eu la sagesse de ne rien répondre. Il lui a laissé un peu d'argent sur la commode – de quoi tenir plusieurs mois – et il a porté deux doigts à son chapeau. Dans les grandes occasions, il savait se montrer gentleman. Ce qu'il ne pouvait pas savoir, hélas, c'est qu'il n'allait jamais la revoir. »

Hormis son ami du *New York Times* et quelques journalistes à qui il a vaguement serré la main, David ne connaît personne à New York. Une nouvelle vie commence pour lui, une aventure. Premier défi : trouver un appartement.

Sans trop se poser de questions, le jeune homme dirige ses pas vers le Lower East Side, qui abrite encore à l'époque (et même si le rythme de l'immigration s'est largement atténué, les lois des quotas[1] ayant produit leur effet) une importante communauté juive. Habitués au calme et au soleil de Hill Street, Ralph et Walter jettent partout des regards apeurés, se bouchent les oreilles. Leur père s'efforce de les rassurer. Il a déjà vécu ici, leur explique-t-il, ils n'ont pas à avoir peur. Les garçons pleurnichent, réclament leur mère. Ils trébuchent sur les étals et les charrettes à bras. Sur un banc de Seward Park, David se laisse choir et leur tend deux bagels. Puis il soupire, lève les yeux au ciel et serre ses fils contre lui, tandis qu'un vent glacé fait voleter les pans de son manteau.

---

1. Lois successives, votées en 1921 et en 1924, limitant le nombre d'immigrants susceptibles d'arriver aux États-Unis. Celle de 1924, la plus sévère, est baptisée « loi Johnson-Reed » : elle intervient dans un contexte de xénophobie croissante, et autorise l'entrée aux États-Unis d'un contingent égal à 2 % de la population de chaque groupe ethnique recensé en 1890.

Grâce à l'appui du rabbin Yudelovitch de la synagogue d'Eldridge Street, avec lequel il a eu la chance de s'entretenir, l'aîné des Mendelson ne tarde pas à dégotter un appartement sur Orchard Street, au cœur du quartier juif. Même si l'immeuble qu'il choisit est l'un des moins décatis du quartier (il possède un ascenseur), le contraste avec Los Angeles est saisissant. Les trottoirs sont jonchés de détritus, les rues emplies d'une cohue bruyante, et l'appartement lui-même, avec ses fenêtres disjointes et ses toilettes sur le palier, est loin d'offrir tout le confort souhaité. « *Mais qu'importe, écrit David dans son journal. Au moins ne sommes-nous pas entassés à douze dans deux chambres. Au moins l'air que nous respirons n'est-il pas irrémédiablement vicié.* »

L'aîné des Mendelson fait preuve d'un étonnant fatalisme. D'une certaine manière, devine-t-on, il a besoin de ce bruit, de cette saleté, de ces odeurs pestilentielles : ils le tiennent éveillé, l'encouragent à redoubler d'efforts. On peut aussi imaginer que le choix du quartier répond chez lui à un sentiment de culpabilité. Un peu trop vite, il s'est vu conquérir les cimes. Un peu trop vite, il a oublié qui il était et d'où il venait. Dans le Lower East Side, qui se vide peu à peu de ses habitants, il retrouve sa place.

Les jumeaux, eux, sont incrits dans une école de Talmud Torah[1]. David s'arrange avec sa logeuse pour qu'elle aille les chercher chaque après-midi et les aide à faire leurs devoirs. La vieille femme, une sorcière aux cheveux parfumés qui ne parle que yiddish, refuse d'être payée : tout ce qu'elle demande, c'est un exemplaire du *New York Times* de la veille,

---

1. *Équivalent juif d'une école primaire.*

afin, dit-elle, de parfaire son anglais. « Golda Reles, vous êtes abonnée à vie », lui glisse-t-il dans un sourire.

Le travail au *New York Times* se révèle harassant. Mené d'une main de fer par le redoutable Adolph Simon Ochs, le journal est, déjà à l'époque, une véritable institution. Son tirage (plus de 429 000 exemplaires en 1930) augmente régulièrement. Tous les matins, David prend le métro jusqu'à la 8e Avenue pour gagner le siège, un énorme building de quinze étages situé au 229 de la 42e Rue.

Le siège du *New York Times* au début des années trente (cliché anonyme).

L'intérieur ? Une usine, une fourmilière sans cesse en éveil.

Au troisième étage, la salle des *news* évoque le cœur d'une ruche. Par centaines, les machines à écrire pétaradent. On se presse dans les allées, on s'invective, des ordres fusent. Mâchouillant leurs cigares, les éditeurs s'épongent le front en attendant les nouvelles de leurs reporters, apportées par des coursiers impassibles.

Le chef de David, William Dormont, est un vieux renard caractériel, prompt aux emportements les plus inattendus. Il boit à longueur de journée, et ses ordres ressemblent aux aboiements d'un bouledogue. « *Mais il protège son équipe, raconte David : nous sommes comme ses enfants.* »

Bientôt, des cloches sonnent, des haut-parleurs vibrent, des cylindres filent comme des fusées vers la salle de composition du quatrième étage. Enfin, les imprimeurs s'activent et les énormes rotatives se mettent à tourner, faisant trembler si fort l'immeuble que même les souris se tiennent tranquilles.

« *Le premier jour, écrit David à sa sœur Leah dans une lettre datée du 6 avril 1930, j'ai cru que mon cœur ne tiendrait pas. Ce boucan ! Pire que la salle des machines d'un paquebot. Que nous parvenions chaque jour à sortir ce satané journal relève à mes yeux d'un authentique miracle. Mes patrons apprécient mon travail, m'apprend-on en coulisse. Parfois, j'aimerais aller les trouver pour leur demander de me confier autre chose que leurs perpétuelles histoires de piquets de grève. Mais les pancartes "ne pas déranger" épinglées à leurs portes ne m'incitent guère à passer à l'action. Je dois faire preuve de patience, paraît-il. Ah ! tu sais combien j'ai ce mot en horreur.* »

Les deux premières années se révèlent délicates pour le jeune journaliste. Lui qui avait espéré se frayer prestement un chemin vers les étages supérieurs du journal, ceux des grands reportages et des articles de fond, se heurte à une concurrence beaucoup plus âpre qu'il ne l'avait imaginé. Longtemps, il reste cantonné aux sujets de proximité. À quelques exceptions près (comme l'inauguration de l'Empire State Building le 1er mai 1931, ou la visite en décembre du diplomate Winston Churchill), son travail consiste à rendre compte de la misère qui, en ces temps de Grande Dépression, accable sa ville et son pays. Les faits divers ne manquent pas. Avec la Prohibition, le pays est en proie à une guerre des gangs continuelle : Al Capone et ses semblables se livrent des batailles sans merci pour le contrôle des bars clandestins et du trafic d'alcool.

Les nouvelles d'Europe, elles, ne sont guère plus reluisantes. Des dictateurs s'affirment ou se rapprochent du pouvoir ; les tensions s'exacerbent. L'heure est à la morosité générale, et New York ne fait pas exception. « *Usines en grève, familles expulsées, corps sans vie retrouvés dans des squares : voilà le quotidien de notre ville* », note David en 1931. L'aîné des Mendelson ouvre les yeux sur une pauvreté effarante et réalise la chance qu'il a d'avoir un travail. Sa conscience politique s'affine. « *Un système dont la motivation première est le profit industriel repose par essence sur des fondations instables, écrit-il encore quelques mois plus tard. Ce qui se passe aujourd'hui n'a rien d'étonnant. Le capitalisme est sourd aux besoins essentiels de l'humanité : il ne peut se réguler que par crises périodiques. Je réalise avec désolation, en rédigeant ces lignes, que je ne suis qu'un maillon de la chaîne. Pire encore, je contribue à maintenir le système en place. Car tout ce qui m'importe, au fond, est que Ralph et Walter ne manquent de rien.* »

En 1933, les États-Unis du président Hoover comptent quinze millions de chômeurs, soit entre un quart et un tiers de la force de travail totale. Des milliers de banques continuent de fermer leurs portes. Devant les soupes populaires, les files d'attente s'étirent. Ailleurs, d'innombrables logements, dont personne ne peut plus payer les loyers, sont laissés vacants. Partout dans le pays, les déshérités s'installent dans des taudis construits à la hâte à proximité des décharges. Ici et là, des hommes trouvent refuge dans des abris faits de vieux journaux, de plaques de fer-blanc ou de toiles goudronnées.

Daté de 1932, un article signé David Mendelson, et conservé par sa sœur, rend compte avec une douloureuse acuité de la réalité de cette époque :

Having failed to obtain the postponement of an eviction from his Canal Street apartment, Marcus B. Lawfeld, a 47 year-old laborer on the dole and without any income, passed away yesterday in his daughter's arms, most likely due to a heart attack. The police believe he died of exhaustion. Lawfeld had spent the day trying to avoid being thrown out into the street with his family. He was 4 dollars short on the rent in addition to 34 dollars dollars overdue from the previous month. The eviction notice for non-payment was presented yesterday to the family, to take effect at the end of this week. Marcus B. Lawfeld sought assistance everywhere possible but in vain: he was informed by the Housing Benefit Office that his request would not be taken into consideration before at least three months had passed.

« Après avoir en vain tenté d'obtenir un report d'expulsion de son appartement de Canal Street, Marcus B. Lawfeld, ancien ouvrier de 47 ans au chômage et sans revenus, est décédé hier dans les bras de sa fille, sans doute d'un arrêt cardiaque. La police indique que sa mort est probablement due à l'épuisement : Lawfeld avait passé la journée à empêcher que sa famille et lui ne soient jetés à la rue. Il devait 4 dollars d'arriérés de loyer et 34 autres dollars pour le loyer du mois précédent. Son défaut de paiement a été suivi d'un avis d'expulsion présenté hier à la famille et devant prendre effet à la fin de cette semaine. Après avoir cherché partout assistance, sans succès, Marcus B. Lawfeld a été informé par le bureau d'aide au logement que sa demande ne pourrait être satisfaite avant trois mois au moins. »

« Des papiers comme celui-ci, il en a écrit des dizaines, me certifie Leah. Il me les envoyait presque à chaque fois, et je les rangeais dans des classeurs. J'ai fini par en perdre la plupart – es tut mir bahng[1]. » La vieille femme se frotte le nez en sirotant doucement son thé. C'est une matinée paisible dans la maison de Greenwich et, à la télévision, une publicité évoque la sortie vidéo d'un film Disney.

J'en profite pour questionner Leah au sujet de Felix Salten, le journaliste viennois, l'ami de jeunesse que David est censé avoir revu à New York. Elle opine en se mordillant la lèvre. « *Je parie qu'il n'en parle pas dans son journal, hein ?* » Je confirme. « *C'est si étrange. Il m'a téléphoné un jour. De toute évidence, il avait besoin de parler. Par le plus grand des hasards, il était tombé la veille sur le nom de Salten dans une page du* New York Times. *L'article mentionnait une conférence dans un hôtel de l'Upper East Side. Mon frère s'y est rendu sans hésiter. Il était fou de joie ! Malheureusement, il a eu un problème de transport et il a manqué l'essentiel de la lecture. Salten était encore là quand il est arrivé, malgré tout. David l'a reconnu au premier coup d'œil. Il a tenté de s'approcher. Ce n'était pas facile – il y avait beaucoup de monde – mais il a fini par y parvenir. Salten a paru à peine surpris quand il l'a vu. Il lui a serré la main sans chaleur. Il lui a expliqué qu'il était invité aux États-Unis par la Carnegie Foundation avec un groupe de collègues et qu'il résidait la plupart du temps en Californie. Il avait une coupe de champagne à la main, il parlait très fort et se montrait distant, presque hautain. Il n'a posé aucune question à mon frère. En bavardant avec d'autres invités, celui-ci a fini par apprendre que Salten, qu'il n'avait pas vu depuis vingt-deux*

1. « *Je suis désolée.* »

ans, était l'auteur d'un livre à succès pour enfants : Bambi, l'histoire d'une vie dans les bois. *Il en est resté comme deux ronds de flan.* »

Je souris. Salten et *Bambi* ? L'anecdote ne laisse pas de m'étonner. Que cet intellectuel si sérieux, que cette figure incontournable de la vie viennoise, responsable en son temps d'un roman pornographique à scandale[1], ait pu écrire une ode à la nature et à la liberté telle que *Bambi* demeure, objectivement, un mystère assez alléchant. Certes, le personnage du petit faon, considérablement popularisé par le film de Walt Disney (pour lequel, d'ailleurs, Salten n'a touché que des droits dérisoires), peut apparaître, aux yeux du grand public, comme une figure assez inoffensive. Mais le livre originel, dont je possède par ailleurs une vieille version française, en offrait une image autrement sauvage et précieuse.

Leah opine. Je lui demande si David et elle sont allés voir le film. « *Moi, oui, dit-elle. David, je ne crois pas. Cette rencontre lui a laissé un goût de cendres,* farshtaist[2] *? Par certains côtés, Salten était tout ce qui le rattachait au monde ancien, au monde de son père. Mon frère s'attendait à des effusions, à des larmes, à une floraison de souvenirs. Au lieu de quoi Salten a essentiellement parlé de lui et de sa tournée fantastique. Sur sa vie à Vienne, sur son passé : rien. Mon frère lui a raconté qu'il avait vécu à Los Angeles. "Oh, a fait Salten, eh bien, je suppose que cela nous fait un point commun." Et ça a été tout. Une page tournée, définitivement.* »

Je hoche la tête, me verse du thé à mon tour. Quelqu'un éteint la télé. Je me rappelle cette phrase d'Amos Oz :

---

1. *Voir le tome 1 de* La Saga Mendelson, Les Exilés.
2. *« Vous comprenez ? »*

« *Quand je serai grand, je voudrais être un livre. C'est moins dangereux que d'être un homme, et, avec de la chance, au moins un exemplaire de moi survivrait...* »

En guise de conclusion, je mentionne *Bêtes captives*, l'un des derniers romans animaliers de Salten, dont le chapitre final – « Un chœur dans la nuit » – se pose comme une allusion à peine voilée à la Shoah. Leah repose sa tasse. « *Bien sûr, soupire-t-elle, c'était un homme bon. Mais ce soir-là, il s'est montré excessivement décevant. Tous les génies savent l'être, non ? Non, vraiment, ça n'a pas été une période très joyeuse pour mon frère. Heureusement que Helena était dans les parages.* »

Helena... Un soir pluvieux de décembre 1930, David Mendelson offre son parapluie à une dactylographe du

Thursday, Dec 18
The rain pattered on the sidewalk as she
leaned against me and through her shoulders
I felt her giggling – softly,
fairylike. A mocking voice sounded inside me:
'Where do you think you're rushing to,
David Mendelson?'

JOURNAL INTIME DE DAVID. JEUDI 18 DÉCEMBRE. *La pluie crépitait sur le trottoir. Elle s'est serrée contre moi et un petit rire discret a secoué ses épaules – très doux, un rien féerique. Une voix moqueuse résonnait dans mon esprit : « Où donc te presses-tu ainsi, David Mendelson ? »*

journal qui vient de casser le sien. Ensemble, ils regagnent la station de métro de la 8e Avenue. La traversée est épique mais la compagnie charmante. « *Une brune piquante, note David dans son carnet, coiffée à la Louise Brooks – un minois de souris et des yeux pétillant d'intelligence : nous n'avons cessé de rire tout au long du chemin, mais j'ai oublié à quel propos.* »

Helena Dyskiss, c'est son nom, n'a pas encore fêté son vingtième anniversaire. Fille d'une mère morte en couches, très tôt orpheline (son père, un rabbin, disparaît alors qu'elle n'est âgée que de six ans), la jeune fille habite un modeste meublé qui donne sur Broome Street, à deux pas de chez David. C'est le début d'une grande histoire d'amour.

« *Quand je lui ai dit que j'étais marié, écrit le journaliste à sa sœur en janvier de l'année suivante, son sourire s'est effacé d'un coup. Je me suis hâté de préciser que ma femme vivait à Los Angeles, et que nous étions en instance de divorce : comme par miracle, le sourire est revenu. Je n'ai jamais rencontré une telle femme, aussi naturelle et joyeuse. Je sais ce que tu penses, Leah Mendelson. Mais tu l'adorerais, j'en suis sûr. Bien entendu, je m'interdis toute avance tant que mes affaires avec Carmen ne sont pas entièrement réglées. Et tu sais quoi ? J'ai l'impression qu'elle m'attend. Elle ne fréquente personne, elle adore Walter et Ralph... Nous apprenons à nous connaître. Pour l'instant, nous nous voyons surtout le week-end, car se parler au journal est impossible. Parfois, nous faisons le chemin du retour ensemble en nous donnant rendez-vous à la station. Oui, je suis un jeune étudiant écervelé. Oui, je lui fais passer des mots codés par un garçon de courses qui est dans la combine. C'est très amusant, ça me change les idées.* »

Carmen, de son côté, s'est entichée d'un producteur portoricain excentrique, grand amateur d'alcools de contrebande et de sciences occultes. Les seuls renseignements que nous pouvons rassembler à son sujet, c'est de Leah que nous les tenons. « *Nous nous rencontrions en ville tous les mois, raconte-t-elle, parce que David, craignant qu'elle ne lui joue un mauvais tour, envoyait chez nous l'argent qui lui était destiné. Elle avait vieilli prématurément. Elle me parlait de son Portoricain avec des trémolos dans la voix, comme si elle avait oublié qu'elle et David étaient encore mariés et que j'étais sa sœur. De ce que j'en comprenais, c'était un amant formidable, qui connaissait plusieurs très bons avocats en ville. Voilà pourquoi le divorce traînait. Elle ne voulait pas la garde des enfants : elle désirait le plus d'argent possible,* dos iz alts[1]. *Elle m'expliquait ça sur un ton très calme, en sirotant des tequilas à la chaîne dès onze heures du matin. Plusieurs fois, j'ai été tentée de lui balancer mon verre d'eau à la figure. Mais ça n'aurait rien changé, je le crains. Et je ne tenais pas à compliquer le problème.* »

Au mois de mars 1931, l'aîné des Mendelson reçoit enfin par courrier les formulaires de divorce qu'il a demandé à sa femme de signer. Sur la nature de leur accord, nous savons l'essentiel : David conserve la garde des enfants et paie à Carmen une pension mensuelle confortable, bien que guère supérieure, au fond, à la somme qu'il lui versait auparavant de sa propre initiative. Mais avant même qu'il puisse mettre le premier chèque à la poste, un terrible événement vient bouleverser la donne de façon totalement inattendue.

---

1. « *C'est tout.* »

Le 17 mai 1931, dans la soirée, deux policiers se présentent à l'appartement de David et demandent à entrer. Intrigué, un peu inquiet, l'aîné des Mendelson les accueille. Par chance, les jumeaux sont couchés. Assis sur un coin de divan, le premier policier tord sa casquette. « C'est votre femme, annonce-t-il, ou votre ex-femme, pardonnez-moi. Son corps a été retrouvé dans un ravin des Santa Monica Mountains, aux abords de Rustic Canyon. Il a été identifié par nos collègues du LAPD[1]. Ils vous demandent de venir aussi tôt que possible. »

Pétrifié, David les dévisage tour à tour. « De quoi est-elle morte ? » demande-t-il dans un murmure. Le second policier se mouche longuement. « C'est tout le problème, monsieur. Nos collègues ne sont pas sûrs. Ils disent qu'elle a été assassinée. Ils disent aussi que c'est la première fois qu'ils voient une chose pareille. » Autour de David, les murs se mettent à tanguer. C'est le moment que le jeune Walter, obéissant à une envie soudaine, choisit pour faire irruption dans le salon. À la vue des policiers, il se fige. Comme son frère, il vient de fêter ses six ans : un âge où l'on commence à comprendre qu'il est anormal de recevoir des hommes en uniforme chez soi à neuf heures du soir. « Walter, va te recoucher ! », ordonne son père d'une voix blanche.

La suite, c'est Leah qui la raconte : « *Il est arrivé le surlendemain, épuisé, les traits tirés, traînant les jumeaux derrière lui. Une mine à faire peur. J'avais pris soin d'envoyer Doris en ville avec sa gouvernante. Ralph et Walter étaient stupéfaits mais pas dévastés – pas comme ils auraient pu l'être s'ils avaient revu leur mère ne serait-ce qu'une fois au cours de l'année et*

---

1. *Abréviation de* Los Angeles Police Department *(police municipale de Los Angeles).*

demie écoulée. Ils avaient tellement grandi ! Je les ai pris sans tarder sous mon aile, et notre mère a forcé David à s'asseoir. "Il te faut une tisane, a-t-elle chuchoté. Ne discute pas." Il n'a pas discuté. »

Avec les années, et l'indicible influence d'un passé qu'elle s'est finalement résignée à accueillir en elle, Batsheva Mendelson est devenue la *mater dolorosa* du foyer – une vieille femme obstinée, emportée, sans cesse affairée autour des siens : une mère juive, au fond, « *aussi exaspérante qu'indispensable* », comme le rappelle sa fille. « *Elle était née pour ce rôle. Elle possédait un instinct très sûr pour tout ce qui touchait au deuil et à la consolation. Moi, j'ai préparé des chocolats aux enfants. Harry, qui était rentré plus tôt ce jour-là, a fini par arracher mon frère à l'étreinte maternelle pour le conduire sur la terrasse. Je ne sais pas ce qu'ils se sont raconté, mais quand ils sont revenus j'ai compris qu'ils avaient pleuré tous les deux. Après quoi David est parti pour Santa Monica. La partie la plus difficile commençait pour lui.* »

Pendant quelques jours, les entrées du journal du frère de Leah n'évoquent quasi rien d'autre que les prolongements du drame. Nous en reproduisons ici les passages les plus significatifs.

19 mai

Maman, sur le perron. J'ai respiré un grand coup : je redoutais ce moment. Mais Leah avait dû la mettre en garde. Elle m'a simplement ouvert ses bras. « Mon pauvre petit. » Mes os auraient pu se briser.

J'ai repensé à ce proverbe yiddish que répétait souvent mon père : « Il n'est pas de mauvaise mère, et il n'est pas de bonne mort. » Humant l'odeur de ses cheveux, j'ai croisé le regard de ma sœur. Ma mère a dit qu'elle allait s'occuper de moi. Que répondre à cela ? « Je suis content que tu sois là. » Finalement, elle m'a relâché. Ralph et Walter attendaient à mes côtés. Elle s'est avancée vers eux et leur a ébouriffé la tête. « Ei ! Ei ! Comme vous avez grandi, petits chenapans ! » Leah les a entraînés à l'intérieur en les prenant chacun par un bras. « Vous aimez le chocolat ? » Je suis resté seul avec ma mère et, pendant quelques secondes, nous avons laissé parler le silence tandis qu'une brise d'été agitait les buissons. Enfin Leah est revenue. L'effroi brillait dans ses yeux. « Seigneur, David... »

20 mai

Procédé ce jour à l'identification du corps. L'inspecteur Prattley, petit homme sec aux gestes vifs, m'a mis en garde avant d'entrer dans la morgue. « Vous êtes sûr que vous tiendrez le choc ? » J'ai opiné. Au fond, je n'en savais rien. S'avançant vers la table en fer où reposait Carmen, Prattley a retiré le drap d'un coup. C'était moins terrible que ce à quoi je m'étais attendu : sans doute parce qu'ils l'avaient préparée, comme ils disent, et parce que j'avais eu le temps de m'imaginer cent fois cet instant. « Regardez ça, a fait l'inspecteur en me montrant les blessures aux cuisses, au ventre, sur la poitrine et sur la gorge. Elle a dû mourir rapidement. Une seule de ces hémorragies... » Il s'est arrêté, craignant peut-être que je ne tourne de l'œil. Mais j'étais incapable de ressentir quoi que ce soit. Ce corps inerte, ce visage bouffi, cette peau blême : étaient-ce bien ceux que j'avais aimés autrefois ? Je me suis frotté les joues. « Qui a pu faire une chose pareille ? ai-je demandé d'une voix atone. On dirait qu'elle a été saignée. » Prattley a sorti une cigarette et l'a coincée entre ses lèvres sans l'allumer. « Cela, monsieur Mendelson, est l'œuvre d'un maniaque. Notre époque en produit à la chaîne. Je dois cependant reconnaître que ceci me dépasse. » J'ai désigné la blessure au cou. « Je ne suis pas légiste mais je sais reconnaître une morsure, inspecteur. Cela en est une, n'est-ce pas ? » Il a fini par dodeliner de la tête. « Ouais, a-t-il lâché : une morsure. Comme dans ce fichu film, comment était-ce, déjà ? » Il fouillait ses poches à la recherche d'un briquet. Je lui ai tendu le mien. « "Dracula", ai-je murmuré. "Dracula", de Tod Browning. »

Rustic Canyon, dans les Santa Monica Mountains : l'endroit précis où a été retrouvé le corps de Carmen (cliché de David Mendelson – 21 mai 1931).

22 mai

Les enfants sont calmes, hors du temps. Ils passent leurs journées sur la terrasse, racontant à Leah leur vie new-yorkaise tandis qu'elle les abreuve d'anecdotes sur son travail à la Warner. Parfois, elle arrive à les faire rire. Bénie soit-elle. Doris est là, également. Une vraie jeune fille, aussi gracieuse que sa mère. C'est la première fois que mes fils et leur cousine se parlent vraiment. Dans la tourmente que je traverse, leur complicité est un bienfait inespéré. Suis-je abattu ? Je ne le sais même plus. On ne tire pas impunément un trait sur son passé, voilà ce que j'ai compris. Carmen est la première femme que j'aie aimée. Elle est, surtout, la mère de mes enfants : et c'est comme si je ne réalisais qu'aujourd'hui.

Harry essaie de m'aider comme il peut, c'est-à-dire mal. Toutes les cinq minutes, il me propose un Martini, que je refuse. Je dois rester fort, fort pour Helena qui m'attend à New York, fort pour mes garçons, vaillant et ferme pour l'avenir.

Savoir que nous ne serons plus jamais réunis me plonge dans une tristesse absurde. Je suis nostalgique d'un bonheur que nous n'avons jamais connu.

Les funérailles ont lieu demain. Carmen était catholique, elle sera inhumée conformément aux volontés de sa mère.

23 mai

Samedi. Matinée horrible, succédant à une nuit plus atroce encore. Quant à ce soir...

Par où commencer ? D'abord, j'ai rêvé de Carmen. Je me tenais dans les collines où son corps a été retrouvé, et un vent sans âge secouait les taillis. La nuit tombait, et avec elle une sensation de malheur inexorable. J'étais assis sur un rocher semblable à ceux du Barranca del Cobre, mais aucune joie ne m'habitait. Carmen flottait au-dessus de la vallée, bras écartés, en chemise de nuit. Inutile de crier : je devinais qu'elle ne m'entendrait pas. Plus tard, je l'ai vue encore, dansant autour d'un brasier, possédée, horriblement joyeuse.

Des flots de sang ont déferlé des montagnes. J'ai essayé de leur échapper mais le torrent furieux me poursuivait et, lorsque je me suis retourné, une vague monstrueuse s'est levée. C'est au moment où elle allait s'abattre sur moi que je me suis réveillé.

Au petit matin, je me suis rendu à notre appartement de Hill Street : la dernière résidence connue de Carmen. Ce n'est pas sa mère qui m'a ouvert mais un gros type basané, qui n'a pas pris la peine de se présenter. « Tu es l'ancien mari, hein ? » Ce devait être le Portoricain dont m'avait parlé Leah – le dernier amant connu de ma femme. Je lui ai demandé ce qu'il fichait chez moi. Il s'est contenté de me rire au nez puis il a tiré une chaise. Sur un coin de table était posés une bouteille de mezcal avec deux petits verres. Je suis resté debout. Le Portoricain a débouché la bouteille. Assise dans un coin, la vieille Arroyo (qui ne m'avait pas salué) s'est décidée à desserrer les dents. Elle m'a pointé du doigt. « C'est ta faute. » J'ai ignoré l'accusation. « Ta faute, a-t-elle répété. Tu as abandonné ma fille. Tu lui as enlevé ses enfants, la chair de sa chair, madre de dios. » Elle s'est penchée pour attraper un verre, et l'a vidé d'un trait. Un calme glacé m'avait envahi. « Votre fille m'a trompé, ai-je rétorqué, articulant distinctement chaque syllabe. Elle n'a jamais manifesté le moindre désir de garder ses enfants, et encore moins de les revoir. Ce n'était ni une bonne mère, ni une bonne épouse. »

Le Portoricain a roté sans retenue avant de poser sur moi un regard injecté de sang. « Tu ne devrais pas parler sur ce ton à la dame, mon ami. » J'ai ricané. « Je paie le loyer de cet appartement, figurez-vous. Vous êtes ici chez moi. Et je ne suis certainement pas votre ami. » Un sourire s'est élargi sur sa face. « Je suis au courant. Elle adorait me répéter ça lorsque je lui faisais l'amour. » J'ai fermé les yeux. Je savais pertinemment ce que voulait cet homme, et je crois qu'en mon for intérieur, je voulais la même chose. Me battre, cependant, aurait été une idée désastreuse. Il devait bien y avoir un autre moyen de se défaire de cette rage.

Je me suis tourné vers ce qui avait été notre chambre. La vieille Arroyo s'est mise à marmonner dans sa barbe. « Qu'est-ce que tu es venu chercher ici, hein ? Il n'y a plus rien pour toi. »

J'ai poussé la porte sans lui prêter attention. La pièce puait le tabac froid, et elle était plus petite que dans mes souvenirs. Certains meubles étaient en mauvais état : on aurait dit qu'ils avaient été lardés de coups de couteau. Assis devant le secrétaire, j'ai ouvert les tiroirs.

« La dame a dit qu'il n'y avait plus rien. Tu es sourd ? » Le Portoricain s'était appuyé au chambranle. « Je dois comprendre ce qui s'est passé, ai-je rétorqué d'un ton égal. C'était ma femme. »

Il m'a considéré un instant en lissant le liseré de moustache qui ornait sa lèvre supérieure. Puis il a émis un claquement de langue. « Elle était folle, a-t-il commencé. Une tigresse au lit, mais folle à lier. Sais-tu que je t'ai plaint ? » J'ai esquissé un sourire. « Je pourrais appeler la police, ai-je sifflé entre mes dents. Je pourrais l'appeler et lui dire que vous êtes chez moi, leur demander de vous jeter dehors. »

Sans répondre, il a ouvert l'armoire à vêtements. L'un des tiroirs regorgeait de sous-vêtements inconnus. Il en a attrapé une poignée et les a reniflés en me fixant droit dans les yeux. « Carmen a laissé un testament », a-t-il annoncé. J'ai haussé les sourcils. « Qu'est-ce que vous racontez ? » Il a refermé le tiroir. « Elle m'a légué des choses. Bien sûr, tu peux contester, et nous pouvons nous déchirer par avocats interposés pendant des années. Mais ni toi ni moi n'y gagnerions quoi que ce soit. C'est pourquoi je te propose un marché. » J'étais sidéré. Je l'ai encouragé à poursuivre.

« Je n'étais pas le seul homme de la vie de Carmen, a repris le Portoricain. Il y en avait au moins un autre. Seulement, moi, je n'étais pas jaloux. Aujourd'hui, j'ai de bonnes raisons de croire que c'est cet autre homme qui a tué ta femme. Il se trouve qu'elle lui écrivait régulièrement et qu'il répondait à chaque fois. Il se trouve qu'elle gardait toutes ses lettres et que j'ai mis la main dessus. »

Je me suis relevé. « Vous essayez de me dire que ces lettres pourraient mener au meurtrier de Carmen ? Bon sang, c'est du recel de preuves !

Je dois les voir tout de suite, vous m'entendez ? Tout de suite ! »

Il a levé une main. « Du calme. Je peux te montrer les lettres, oui. Mais il y a des conditions. » Il inspectait ses ongles. La situation semblait l'amuser. « Des conditions... », ai-je répété, abasourdi. Il a hoché la tête. J'aurais tout donné pour faire disparaître son sourire. « Premièrement, a-t-il déclaré, je veux que tu renonces aux objets que me lègue Carmen. Pour être franc, je doute qu'il y ait parmi eux grand-chose qui puisse t'intéresser. Deuxièmement... » Il ménageait ses effets. « Deuxièmement, je veux que tu lises les lettres devant moi et que tu me les rendes ensuite. » J'étais sur le point d'éclater de rire. Je lui ai demandé de répéter. C'était insensé. « Je dois vous laisser, ai-je lâché. Attendez-vous à recevoir très vite des nouvelles de mon avocat. »

Je suis sorti en claquant la porte. La vieille Arroyo n'avait pas bronché. Plus tard, dans la rue, je me suis arrêté pour réfléchir. Quelles sordides révélations pouvaient-elles receler ? Je pressentais que leur mystère allait me hanter sans relâche, désormais.

L'inhumation avait lieu à quinze heures au cimetière d'Inglewood Park. Je suis retourné chez ma sœur. Ma mine fermée a été mise sur le compte du chagrin. J'ai emmené mes deux garçons dans le jardin, et nous avons lancé quelques balles.

Puis nous nous sommes rendus au cimetière : Harry, Leah, ma mère, les garçons et moi. Il y avait très peu de monde. Deux ou trois collègues de l'usine où Carmen avait travaillé, quelques membres de la famille que je n'avais jamais vus, des femmes surtout, cachées derrière des voiles de tulle, et la vieille Arroyo évidemment, flanquée de son Portoricain qui la soutenait par le bras. Le prêtre a lu un verset de la Bible et balbutié un hommage discret. Au-dessus de nos têtes se déployait un ciel sans nuages, et le soleil frappait indolemment la pelouse. De nouveau, je me suis senti transformé en bloc de pierre : incapable d'éprouver la moindre tristesse, incapable de faire le lien entre ce cercueil qui *descendait en terre et cette femme que j'avais un jour aimée.*

La cérémonie arrivait à son terme. Comme on pouvait le redouter, la mère de Carmen a voulu se précipiter dans la tombe : elle s'est mise à hurler. Le Portoricain l'a retenue sans trop de mal puis l'a emmenée à l'écart. Je les ai regardés s'éloigner, clopin-clopant à l'ombre des grands arbres. Il lui susurrait des secrets à l'oreille. Discrètement, je suis allé les retrouver. L'homme m'a adressé un sourire entendu. « C'est d'accord, ai-je lâché. Laissez-moi lire vos foutues lettres. » Leah et les autres se demandaient ce que je manigançais. Je leur ai expliqué qu'il me restait des détails à régler avec la mère de Carmen. Ma sœur m'a jeté un regard peu amène. Elle n'était pas dupe.

Le Portoricain m'avait donné rendez-vous dans une petite steak house de South Broadway. J'y suis arrivé à six heures. Lui s'y trouvait déjà, attablé devant une solide entrecôte. Une liasse de feuilles ficelées attendait à ses côtés. Il a hoché le menton sans cesser de mastiquer. Je n'ai rien commandé. Défaisant la ficelle, j'ai parcouru la première lettre.

Il y en avait seize. Toutes étaient couvertes de la même écriture élégante et signées du même nom. Ma gorge se serrait au fil de ma lecture. Le Portoricain, lui, avait commandé un dessert et une bouteille d'eau gazeuse.

Lorsque j'ai eu terminé, j'ai levé les yeux sur lui. Nos regards se sont croisés. « Qu'est-ce que ça veut dire ? » Il a reposé sa cuillère. « Rien de plus que ce qui est écrit. »

J'étais effaré. D'un geste rapide, il a rassemblé les lettres et remis la ficelle. « Tu comprends maintenant pourquoi tu ne peux pas les garder ? » J'ai vaguement approuvé. Des mots dansaient dans mon esprit. Des images, aussi : terrifiantes, dévastatrices. C'était Carmen comme je ne l'avais jamais connue, une porte ouverte sur un monde impossible, un univers de sang et de violence sans espoir. « Il s'agit peut-être d'un canular, ai-je lâché d'un air absent. Elle a voulu... nous faire peur. »

Le Portoricain a ricané. « Nous ? Il n'y a pas de "nous", compadre. Ces lettres étaient cachées sous ton lit. Je n'étais pas censé les lire, et toi encore moins. »

Je me suis contenté d'opiner. Cet homme ne me voulait aucun mal, j'en avais la conviction. Et l'avant-dernière lettre me permettait de comprendre pourquoi il tenait tant à récupérer ce qu'il considérait comme sa part d'héritage.

« Vous le connaissiez ? » Son regard s'est troublé. Il savait très bien de qui je parlais, mais il a marqué un temps d'hésitation. « En fait, c'est moi qui ai fait les présentations. » Je me suis passé une main dans les cheveux. Des gouttes de sueur perlaient à mon front. Toute cette histoire était démente. « Toi et moi savons bien, a repris le Portoricain, que personne ne croirait à ces lettres quand bien même tu pourrais les montrer. Ce qui est arrivé est un accident, un règlement de comptes. Celui-ci — il a tapoté la signature au bas de la première lettre — celui-ci n'aurait jamais blessé Carmen. En aucune façon. » Il a vidé son verre. « Et l'amulette, ai-je demandé. Qu'allez-vous faire de l'amulette ? » Il s'est frotté la nuque en grimaçant. « Qu'en ferais-tu à ma place ? »

Ici s'achève abruptement l'une des plus longues et singulières entrées du journal de David Mendelson. L'énigme est d'autant plus troublante que les trois pages suivantes ont été arrachées et que jamais, par la suite, il n'est fait de nouveau allusion à la rencontre avec le Portoricain et/ou aux circonstances de la mort de Carmen.

Les archives du LAPD de l'époque que j'ai pu consulter indiquent que l'affaire Carmen Mendelson, née Arroyo, a été classée « non élucidée ».

En 1994, au moment où j'ai pu prendre pour la première fois connaissance du journal de David, je pensais évidemment ne jamais retrouver ces fameuses pages perdues. Les rares personnes à qui je m'en étais ouvert au sein de la famille semblaient n'avoir aucune idée de ce dont je parlais, et je n'étais guère décidé, de mon côté, à creuser l'histoire plus que de raison.

Cette dernière, pourtant, ne s'arrête pas là : en 1999, au cours d'une bruyante réception donnée à la Maison Mendelson de Greenwich, Ralph m'a révélé qu'il possédait les pages manquantes, remises par son père quelques jours avant sa mort. « *J'ignore pour quelle raison il les a gardées après les avoir déchirées, m'a alors confié le fils du patriarche. Je présume qu'elles le répugnaient mais qu'il ne pouvait se résoudre à les laisser disparaître.* »

Après quelques tergiversations, Ralph a accepté de me laisser lire les pages en question. Par la suite, nous avons longuement discuté pour savoir si leur contenu pouvait être divulgué à présent que le principal intéressé était décédé. Nous sommes arrivés à la conclusion qu'il le pouvait, et j'ai pris la décision d'en retranscrire les passages les plus significatifs. Pour des raisons de cohérence interne, néanmoins, il m'a semblé que leur place ne se trouvait pas dans ce deuxième tome : jusqu'en 1989 en effet, David Mendelson était le seul à connaître leur existence. Vous ne les verrez donc reproduits qu'au terme des *Fidèles*, troisième et dernier volet de *La Saga Mendelson*.

Le rapt du siècle

Le 21 janvier 1933, plusieurs centaines de chômeurs encerclent un restaurant aux environs de Times Square pour qu'on les laisse manger gratuitement. David, qui accompagne un ami censé couvrir l'événement, prend fait et cause pour les manifestants. Lorsque les forces de police se regroupent, prêtes à charger, son sang ne fait qu'un tour. Son ami le retient. « Les choses changent, souffle-t-il, et tu le sens. Seulement, ce n'est pas ton affaire. Ton affaire, c'est de regarder et de rendre compte. » Ces paroles marqueront durablement David. Peut-on, doit-on se contenter de témoigner lorsque le malheur frappe ? Il faudra beaucoup de temps à l'aîné des Mendelson pour répondre à cette question. Au soir de ce 21 janvier, il est simplement désarmé. « *Les gens ne comptent plus sur le gouvernement, note-t-il dans son journal, ils réapprennent à être seuls. Les seuls maîtres qu'ils se connaissent se nomment désespoir et nécessité. L'autre jour, dans une boutique de la 34*e*, une jeune femme a commandé dix livres de farine puis a sorti son pistolet. Elle a expliqué au commerçant qu'elle le paierait plus tard, quand elle pourrait. Elle lui a aussi dit qu'elle se moquait de la chaise électrique.* »

Mais les choses changent, effectivement. Aux élections de 1932, le candidat démocrate Franklin D. Roosevelt l'em-

9 NOVEMBRE 1932. LE *NEW YORK TIMES* ANNONCE LA VICTOIRE DE FRANKLIN D. ROOSEVELT AUX ÉLECTIONS PRÉSIDENTIELLES.

"All the News That's Fit to Print."

The New York Times.

5 A.M. EDITION

ROOSEVELT WINNER IN LANDSLIDE! DEMOCRATS CONTROL WET CONGRESS; LEHMAN GOVERNOR, O'BRIEN MAYOR

BIG VOTE FOR M'KEE

O'Brien Is 245,464 Behind Ticket as Protests Rise

BUT FINAL LEAD IS 616,736

Pounds Concedes Defeat Early, Saying 'Day of Miracles Is Past.'

THE GOVERNOR-ELECT.

STATE VICTORY SOLID

Lehman Gets Record Party Plurality of 887,000.

WAGNER CLOSE TO HIM

National Ticket Has Margin of 615,000—Full State Is Elected.

JUDGES IN 'DEAL' WIN; PROTEST VOTE HEAVY

The President's Message To the President-Elect

OVERTURN IN SENATE

Bingham, Watson, Moses and Smoot Are Defeated.

DEMOCRATIC MAJORITY 12

Party Adds to Control in House—May Rule Both Branches This Winter.

DEMOCRATS CONTROL STATE SENATE, 26-25

THE PRESIDENT-ELECT.

SWEEP IS NATIONAL

Democrats Carry 40 States, Electoral Votes 448.

SIX STATES FOR HOOVER

He Loses New York, New Jersey, Bay State, Indiana and Ohio.

The Electoral Vote

Wets in Control in Both Houses, But Short of Two-Thirds in Senate

porte d'une large tête sur son adversaire. Dès son entrée en fonction, au printemps 1933, il lance un ambitieux programme de réformes : le New Deal. Les grèves ne cessent pas, mais l'espoir renaît. Peu à peu, l'Amérique redresse la tête. Et David ?

Après la mort de Carmen, en mai 1931, l'aîné des Mendelson regagne New York en compagnie de ses deux fils. À trente-sept ans, il doit affronter une crise morale sans précédent, dont seuls l'amour de Helena et la présence de ses garçons vont lui permettre de sortir indemne.

16 juin

Nuit atroce, une fois encore. Walter pleure dans son sommeil, et moi je pleure dans le silence de ma chambre trop grande, écrasé par le poids d'un destin. Suis allé voir le rabbin, hier ; bien piètre réconfort. Ne suis plus que l'ombre de moi-même. Faire face, pour les garçons, pour Helena qui m'enveloppe de son amour et ne tardera pas, sans doute, à me quitter. Suis-je condamné à souffrir en vain ?

12 septembre

Helena dort dans mon lit ce soir, mais sans moi. Quelque chose se refuse à nous. « Pourquoi ne te laisses-tu pas aller ? » me demandait-elle tout à l'heure, nue et frémissante, tandis que je demeurais comme un idiot devant elle. La vérité, c'est que je n'en sais rien. « Je vais rester ici, a-t-elle déclaré en riant. Avec toi, que tu le veuilles ou non. » Je n'ai pas eu le courage de la chasser. Je l'aime, du reste. Je l'aime de tout mon cœur, mais cet amour ne trouve pas sa place.

18 décembre

Aujourd'hui, mon Ralph m'a demandé ce qu'il y avait après la mort. La question le tourmente beaucoup ces temps-ci. Un garçon si curieux, ouvert au monde : le contraire de son frère. Je me suis raclé la gorge. « Voyons, mon fils, que disent les Écritures à ce sujet ? » Il a secoué la tête, embarrassé. « Je sais ce qu'elles disent, papa. Je veux connaître ton point de vue. » J'ai réfléchi, avant de déposer un baiser sur son front. « Ralph Mendelson, ai-je soufflé, c'est la question de la mort qui nous empêche de vivre. Oublie cela, veux-tu ? »

Début 1932, la situation paraît s'améliorer quelque peu. David recommence à mettre le nez dehors. Contre toute attente, sa liaison avec Helena s'affermit. De nouveau, il confie ses enfants à sa voisine. Une forme de bonheur semble possible.

Avec les garnements du voisinage, les jumeaux s'enhardissent eux aussi. Ils jouent aux échecs, au stickball parfois, malgré les récriminations des vieux Juifs du quartier. Sur CBS, ils suivent avec passion le *Ed Sullivan Show*. Ralph est un jeune garçon enthousiaste, volubile, volontiers taquin. Plus ombrageux, plus introverti, Walter ne parle que lorsqu'on l'interroge et s'intéresse à la musique klezmer[1].

Lors des célébrations de Yom Kippour, les deux frères accompagnent leur père à la synagogue. Le reste du temps est consacré à l'étude : à l'école de Talmud Torah, Ralph et Walter apprennent l'hébreu, scandent le kaddish[2], étudient les Écritures et regardent avec compassion leurs

1. *Musique traditionnelle juive.*
2. *Prière juive.*

camarades moins fortunés subir, au sein du *heder*[1], les assommantes leçons d'un *melamed*[2] grincheux.

« *Rapidement, écrit David plusieurs années plus tard, j'ai réalisé que nous aurions pu habiter ailleurs. Nous en avions les moyens. Mais demeurer dans le Lower East Side était pour moi une façon de témoigner ma fidélité à un monde que je pensais avoir trahi. Et je voulais, je désirais ardemment que mes enfants grandissent comme des Juifs, au milieu des Juifs – alors même que le quartier se dépeuplait, et que les synagogues se vidaient de leurs occupants.* »

16 janvier

"The Public Enemy", avec James Cagney. Peut-être pas aussi brillant qu'on le prétend. Il faut dire que nous avions la tête ailleurs, Helena et moi. Après la séance, nous nous sommes embrassés dans une ruelle avec une passion nouvelle. Dans ses prunelles étonnées brillait une promesse d'avenir.

Devant chez moi, doucement, elle a pris mon visage entre ses mains. « Quand tu seras prêt, David... Quand tu seras prêt. » Je ne peux plus me passer d'elle.

8 février

Ai offert la bague ce dimanche ! Symbole païen, présage heureux. Me sens comme un jeune homme. Tous les regards étaient fixés sur nous. Helena a ouvert l'écrin et a levé les yeux. « Est-ce une demande ? » J'ai senti le rouge me monter aux joues. J'ai secoué la tête, et un rire forcé s'est échappé de mes lèvres. « Oh, bon sang, quel imbécile. Je... Je ne sais même pas... Je pensais que... » Elle a posé sa main sur la mienne. « David ? C'est oui. »

---

1. *École élémentaire traditionnelle où sont enseignés des rudiments de judaïsme et d'hébreu.*
2. *Enseignant.*

16 mars

Reçu aujourd'hui une longue missive de Leah. « Saurais-je te dire la joie que m'a donnée cette nouvelle ? Notre mère s'est précipitée pour m'arracher la lettre des mains. "Dis-moi qu'elle est juive ! — Oui, maman, et même fille de rabbin. — Oh, danken Got !" » Elle se dit ravie pour moi, m'accable de compliments fleuris et de commentaires moqueurs. Je suis l'incorrigible romantique, le rêveur aux semelles de vent. Honte de mon bonheur aussi : car de son côté à elle, les choses vont de mal en pis. Harry s'est remis à boire, plus que jamais. Les altercations s'enchaînent. Elle ne sait pas très bien où il passe ses journées. « Pas au studio, en tout cas. » Hier, lui et maman ont eu une dispute terrible sur

March 6

As for Harry, you know what he's like,
there's nothing new under the sun when
he's been drinking: he ~~just~~ collapsed on the sofa
mumbling the customary compliments.
I'm really happy, believe me! It's a downright
miracle that a young woman so charming and
intelligent should take you under her wing —
This calls for a celebration.

EXTRAIT DE LETTRE DE LEAH À DAVID. *Quant à Harry, tu le connais, et les surprises sont rares lorsque l'alcool s'en mêle : il s'est affalé sur le sofa en bredouillant les compliments d'usage. Je suis heureuse, n'en doute pas ! Qu'une jeune femme aussi intelligente et charmante accepte de te prendre sous son aile est un miracle en soi — célébrons-le comme il se doit !*

la terrasse. « Tu devrais lui écrire », dit ma sœur, mais elle ne précise pas de qui elle parle. Dans le doute, je vais leur envoyer un mot à tous les deux.

17 mars

Ma joie se propage telle une brise. Au journal, Margaret m'a fait comprendre qu'elle était « au courant ». Elle nous a probablement croisés un jour sur Broadway. À présent, elle prend des airs de complice chaque fois que je passe la porte.

18 mars

Inespéré ! William me demande de couvrir l'affaire Lindbergh ! Margaret est venue me trouver ce matin ; j'ai à peine relevé les yeux — je pensais qu'elle allait encore me parler de Helena. Elle a tiré l'un de mes crayons du pot. J'ai soupiré. « Qu'est-ce que vous voulez ? » Elle m'a souri. « Ne prenez pas ces grands airs avec moi, monsieur Mendelson. Je suis votre alliée. » J'ai essayé de faire bonne figure. « C'est vrai. J'avais oublié. » Elle a haussé les épaules. « William veut vous voir dans son bureau. Je crois que c'est pour une bonne nouvelle. » J'ai défroissé les manches de ma veste. « Pour votre information, a poursuivi Margaret, il m'a demandé mon avis. Et j'ai été gentille avec vous. Si vous voulez vous marier un jour, il serait bon que vous preniez du galon. » Je l'ai considérée sans comprendre. « Au nom du ciel, de quoi parlez-vous ? » Elle a tourné les talons en émettant un rire léger.

William m'attendait à son bureau, un verre à la main — scotch de contrebande. Il a désigné une chaise, m'a demandé si je buvais. J'ai dit non. « Qu'est-ce que vous pensez de l'affaire Lindbergh, David ? » Je me suis assis. « Moi ? » Il a reposé son verre avec un soupir. « Qui d'autre ? Personnellement, je flaire le coup monté. Bon sang, vous ne trouvez pas qu'il y a quelque chose qui cloche chez ce type ? » Il attendait ma réaction. J'ai pris un air pénétré. « Tout est possible, ai-je répondu évasivement. D'une manière générale, je n'aime pas les histoires trop simples. » Ma réponse a paru le satisfaire. Un éclat a brillé dans son regard. « On a déjà une foultitude de garçons sur le coup. J'aimerais bien en avoir un de plus. Un franc-tireur. Garst n'y voit aucun inconvénient, au point où on en est. Sur quoi travaillez-vous ces jours-ci ? » J'ai haussé les épaules. « Les grèves, monsieur. » Il a ricané. « Ah, oui. Palpitant, à n'en pas douter. Bon, passez voir Margaret en sortant. Je lui ai laissé à votre attention un petit dossier, regroupant l'essentiel de nos informations sur le sujet. À partir d'aujourd'hui, mon vieux, vous êtes officiellement affecté à l'affaire Lindbergh. Je ne vous promets pas qu'on publiera quoi que ce soit, mais ça vaut le coup d'essayer. »

À ce point du récit, le moment est venu d'apporter au lecteur quelques précisions.

Surnommé « l'Aigle solitaire », Charles Augustus Lindbergh entre dans la légende américaine le 21 mai 1927 en étant le premier pilote à relier New York à Paris, en trente-trois heures et trente minutes, à bord de son avion *Spirit of Saint Louis*. Il n'a alors que vingt-cinq ans. Revenu aux États-Unis après une tournée triomphale en Europe, il se voit décerner la prestigieuse Medal of Honor, est nommé colonel de la Garde nationale et déplace partout des foules considérables – à tel point que l'on estime à trente millions le nombre d'Américains l'ayant vu *en personne* dans l'année suivant son exploit.

Au début des années trente, Lindbergh reste une personnalité universellement adulée, dont l'influence sur l'industrie aéronautique américaine peut être considérée comme majeure. Le 27 mai 1929, il a épousé Anne Spencer Morrow, autre pionnière de l'aviation qu'il a rencontrée lors de sa tournée – et riche héritière de l'ambassadeur des États-Unis au Mexique. Leur premier enfant, Charles Jr., naît le 22 juin 1930. Le 1er mars 1932 en soirée, sa nurse constate que le bébé n'est plus dans son lit.

C'est le début d'une histoire tragique qui va tenir le pays en haleine pendant plusieurs années.

Pour la raconter de la façon la plus simple et complète possible, nous nous sommes adressés à un spécialiste : Jean-Hugues Dupont-Garnier, professeur d'histoire américaine à l'université Lyon 2, auteur d'une biographie de Lindbergh aujourd'hui épuisée. Plutôt que de présenter son interview d'un seul bloc, nous avons choisi d'y intercaler plusieurs passages du journal de David. À notre sens, ces derniers éclairent en effet l'affaire d'une lumière nouvelle.

Professeur, qui est Charles Lindbergh en 1932 ?
Plus qu'un héros. Une sorte de surhomme. Peut-être bien l'homme le plus célèbre du monde. Rétrospectivement, il est assez difficile de se faire une juste idée du phénomène. Quoi de plus naturel, de nos jours, que de prendre l'avion pour se rendre d'un pays à un autre ? Mais à l'époque de Lindbergh, voyez-vous, chaque vol était un exploit en lui-même. La traversée de l'Atlantique a peut-être eu plus d'impact sur l'humanité que le premier pas de l'homme sur la Lune : parce qu'elle a été accomplie par un individu solitaire, et parce qu'elle a

réellement changé la vie des gens. Par ailleurs, l'époque dont nous parlons était encore empreinte d'un très fort sentiment religieux : aux yeux du grand public, il y avait quelque chose de surnaturel dans ce qu'avait accompli Lindbergh. Subitement, tous les investisseurs de Wall Street ont commencé à regarder le ciel. Tout le monde voulait voler. Il fallait fabriquer des avions.

Donc, un homme célèbre, et aimé.
Assurément.

Le journaliste H. L. Mencken, considéré comme l'un des grands esprits de son temps, prétendait que l'histoire de l'enlèvement de Charles Jr. et du procès qui s'ensuivit était la plus importante depuis celle de la résurrection du Christ.
(Rires.) *C'est peut-être un tantinet exagéré. Mais le fait est qu'elle a littéralement passionné l'Amérique. Imaginez, par exemple, que la chose arrive ici même à quelqu'un comme Zinedine Zidane.*

Bien, revenons à l'histoire. Pouvez-vous nous dire ce qui se passe ce soir-là chez les Lindbergh ?
Nous sommes le 1er mars 1932 : un mardi, près de la paisible petite ville de Hopewell dans le New Jersey. À huit heures du soir, Betty Gow, la nurse de Charles Jr., dépose le bébé dans son berceau et attache sa couverture avec deux épingles à nourrice. À neuf heures, le colonel Lindbergh entend un bruit inhabituel à l'étage mais ne s'en inquiète pas outre mesure. À dix heures, Betty entrouvre la porte de la chambre du bébé et constate qu'il a disparu. Une enveloppe blanche a été posée sur le radiateur

AVIS DE RECHERCHE PUBLIÉ PEU DE TEMPS APRÈS LA DISPARITION DE CHARLES LINDBERGH JR.

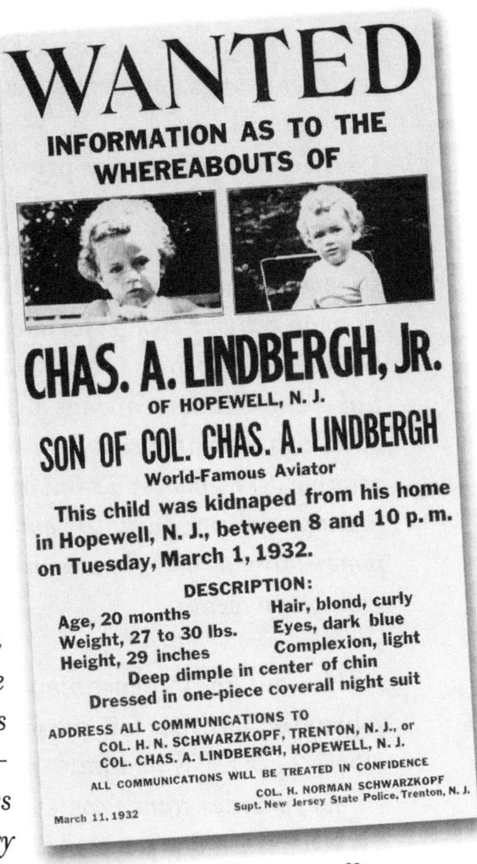

qui jouxte le rebord de la fenêtre, et des traces de pas mènent aux restes d'une échelle artisanale.

À partir de cet instant, c'est la panique.

Oui et non. On sait que les premiers réflexes sont cruciaux dans ce genre de circonstances, et Lindbergh a la présence d'esprit de ne pas toucher à l'enveloppe. Les autorités sont appelées immédiatement. Le premier sur les lieux est un certain Harry Wolf, de la police de Hopewell. Il est rejoint par plusieurs officiers du New Jersey chargés de fouiller la maison et les environs. Peu après minuit, un expert en empreintes digitales arrive à son tour. Il y a plus de cinq cents marques sur l'échelle mais aucune n'est réellement exploitable. La demande de rançon est ouverte. Elle est rédigée d'une écriture maladroite, truffée de fautes. Les ravisseurs exigent cinquante mille dollars – une somme considérable pour l'époque. Ils demandent aux Lindbergh de ne pas prévenir la police et les informent que d'autres indications suivront. En guise de signature : deux cercles entrelacés, rouge et bleu, et trois trous.

Pour ce qui est de ne pas prévenir la police…

Il est trop tard, oui. Mais comment garder une chose aussi énorme pour soi lorsque l'on s'appelle Charles Lindbergh ? De plus en plus, l'aide afflue à Hopewell. Le colonel Herbert Norman Schwarzkopf, superintendant de la police d'État et père du général Schwarzkopf, qui s'illustrera bien plus tard en Irak[1]*, entre notamment dans la partie.*

Lindbergh et ses amis soupçonnent que l'enlèvement a été perpétré par des membres du crime organisé. Ils contactent Mickey Rosner, une figure du milieu, qui les met en relation avec deux propriétaires de bars clandestins – car, faut-il le rappeler, la Prohibition règne…

Ah ! J'avoue que j'y pense bien peu, à cette Prohibition ! Le journal de David ne fait que parler de gens qui boivent…

(Rires.) *Les règles sont faites pour être contournées. Le fait est que, pour les grands pontes hollywoodiens, l'interdiction d'alcool ressemblait à une plaisanterie : il était très facile de s'en procurer…*

C'est ce que j'avais compris. Nous en étions à Mickey Rosner et à ses sbires…

Cette piste-là ne donne pas grand-chose. Les deux hommes avec lesquels Rosner est en relation sont en réalité payés par le Daily News *pour ramener des scoops ! Ce qui est fascinant, par ailleurs, c'est de voir à quel point la tragédie qui frappe les*

---

1. *Ancien commandant de l'*United States Central Command*, le général Norman Schwarzkopf a dirigé les forces de la coalition lors de la première guerre du Golfe, en 1991.*

Lindbergh suscite la compassion des personnalités les plus inattendues. Même Al Capone offre son aide, de la prison où il se trouve !

Gracieusement ?

Vous rêvez : en échange d'une faveur, bien sûr. De son côté, le président Herbert Hoover déclare qu'il va « remuer ciel et terre » pour retrouver l'enfant perdu. Le Bureau d'investigation (ancêtre du FBI) est autorisé à mener une enquête ; d'autres services fédéraux sont invités à se tenir prêts. Des officiels du New Jersey annoncent qu'une récompense de vingt-cinq mille dollars sera offerte pour le retour du « Petit Lindy », et la famille Lindbergh ajoute cinquante mille dollars à la cagnotte.

DEMANDE DE RANÇON REÇUE PAR CHARLES LINDBERGH. ON REMARQUE L'ÉCRITURE MAL ASSURÉE ET LE SCEAU CARACTÉRISTIQUE.

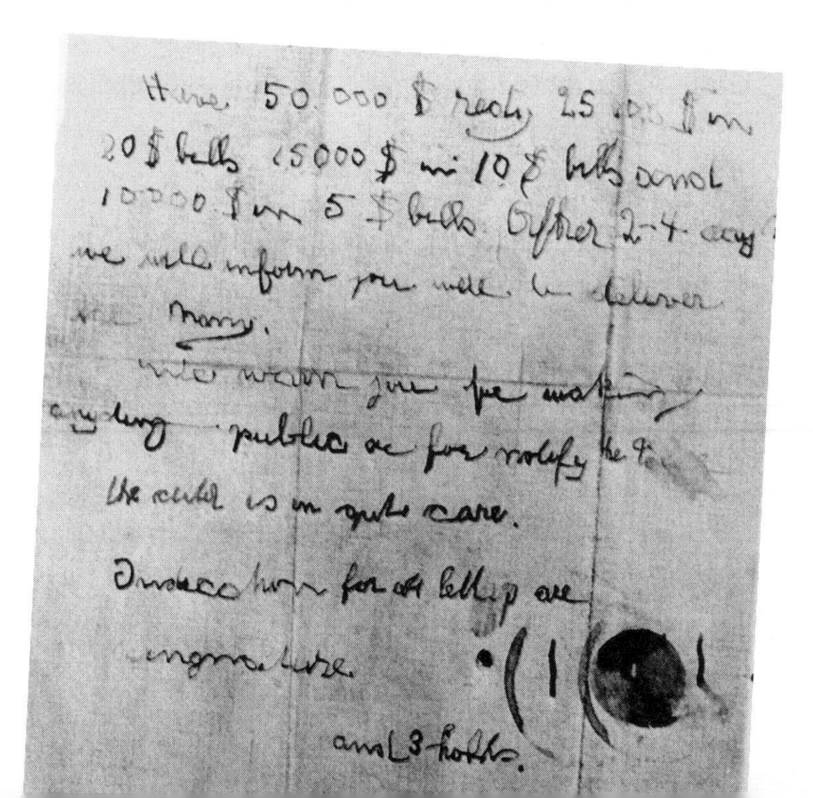

Have 50.000 $ redy 25 000 $ in
20 $ bills 15000 $ in 10 $ bills and
10000 $ in 5 $ bills After 2-4 days
we will inform you were to deliver
the mony.
We warn you for making
anyding public or for notify the Po
the child is in gut care.
Indication for all letters are
singnature
and 3 holes.

Je ne suis pas sûr que nos lecteurs se rendent bien compte de ce que représente une telle somme.
Plus d'un million de nos dollars actuels. Le 6 mars, une nouvelle demande de rançon arrive par courrier. Elle a été postée de Brooklyn et porte les mêmes signes distinctifs que la première. La police veut étudier la lettre, mais Lindbergh la passe à Mickey Rosner. Ce dernier prétend qu'il va la transmettre à ses contacts. En vérité, elle atterrit directement sur un bureau du Daily News, *où une âme peu délicate la prend en photo. Dès le lendemain, on en trouve des copies à chaque coin de rue, vendues cinq dollars pièce.*

Joli coup, Rosner !
Comme vous dites. Deux jours plus tard, une troisième lettre arrive, toujours de Brooklyn. La police new-yorkaise propose de surveiller toutes les boîtes aux lettres de la ville et de leur adjoindre un mécanisme de sélection d'enveloppes censé permettre d'aider à identifier un ravisseur éventuel. Lindbergh rejette ce plan avec vigueur.

Pourquoi ?
On ne sait pas trop. Sans doute estime-t-il que cela risque de mettre son fils en danger.

Entre en scène un nouveau personnage…
Tout à fait. Le Dr John F. Condon, un principal de collège habitant le Bronx, se propose via *le* Home News *local de jouer les intermédiaires. Le jour suivant, il reçoit une lettre des ravisseurs, aux bons soins du journal. Sa requête est donc validée* de facto *! Lindbergh donne son aval. Aux alentours du 10 mars,*

le Dr Condon reçoit soixante-dix mille dollars en cash : il est autorisé à lancer les négociations avec les ravisseurs. Il y a là un premier problème, à mon sens.

Lequel ?
Tout simplement, il est impossible de dire si la lettre des ravisseurs reçue par le Home News *est authentique. Grâce aux copies qui circulent dans la rue, tout le monde connaît maintenant leur signature.*

Mais pour le Dr Condon, cette authenticité ne fait aucun doute.
On peut voir ça comme ça. En tout cas, le docteur suit les instructions. Il envoie une annonce dans le New York American. *« L'argent est prêt. Signé : Jafsie. »*

Jafsie ?
Une prononciation phonétique de ses initiales : J. F. C.

Que se passe-t-il ensuite ?
Le 12 mars, en soirée, Condon reçoit un appel anonyme. Puis un homme se présente à lui : un chauffeur de taxi, Joseph Perrone, qui a reçu la cinquième note des mains d'un inconnu. Cette cinquième note en annonce une sixième, censée se trouver dans un terrain vague tout proche. Jafsie met la main dessus. On lui fixe un rendez-vous nocturne avec un soi-disant porte-parole des ravisseurs dans le cimetière de Woodlawn, près de la 233ᵉ Rue et de Jerome Avenue.
L'homme s'appelle John ; il prétend appartenir à un gang constitué de trois hommes et deux femmes. Le petit Lindbergh,

explique-t-il, est retenu sur un bateau, en sécurité. Mais il va falloir attendre encore un peu pour verser la rançon. Condon émet des doutes. L'autre lui promet des preuves. Les deux hommes se séparent.

29 mars

Suis arrivé à Hopewell hier au soir, laissant les enfants à Helena. Leah dit que je suis fou. Je pense que le terme exact est « passionné ».

La vie est sinistre, ici. La maison des Lindbergh est cernée par les journalistes mais la police les tient prudemment à distance.

Ai tout de même pu arracher deux mots à Betty, la nurse. Cet après-midi, elle a trouvé près de l'entrée un objet qui appartenait au bébé — une protection pour l'empêcher de sucer son pouce. Elle se retenait pour ne pas pleurer. « Je ne suis pas autorisée à vous parler », a-t-elle gémi en reniflant.

J'ai câblé l'information au journal.

EXTRAIT DE LETTRE DE LEAH À DAVID. *Tous nos amis ne parlent que de ça, naturellement. Mais oh ! grand frère chéri, petit frère vulnérable : tu devrais prendre garde. L'univers de Lindbergh, l'univers des puissants demeure un monde d'apparat et de violence sans nom.*

March 29

That's all our friends are talking about, of course. But oh, Dear Big Brother, my fragile little brother, do be careful! Lindbergh's environment, the realm of the high and mighty, still remains a world of pomp and nameless violence.

Le Dr Condon rentre donc bredouille.
Exact ! Lindbergh a insisté pour que la police ne fasse pas suivre le représentant des ravisseurs. Quelques jours plus tard, Condon reçoit un colis par la poste, qui contient la tenue de nuit de l'enfant. Une septième note accompagne l'envoi. Lindbergh identifie formellement les vêtements de son fils. Condon passe un nouveau message dans le Home News *: « L'argent est là. Pas de flics. Pas de services secrets. Je viendrai seul, comme la première fois. » Les tractations se poursuivent. Une autre note arrive le 1er avril. C'est la dixième.*

Pas une blague, j'imagine. Que dit-elle ?
Que les ravisseurs sont disposés à recevoir le paiement. Condon prépare donc l'argent : il le range dans une boîte spécialement manufacturée, dans l'espoir que celle-ci soit plus tard identifiée. De la même façon, la rançon est payée principalement en certificats-or[1]. Le soir suivant, nouveau chauffeur de taxi, nouvelle note.

Ça n'en finit pas !
Non. C'est totalement rocambolesque, un jeu de piste malsain et épuisant. Il y a un énième mot à trouver sous une pierre. Un nouveau rendez-vous avec « John » est organisé dans un autre cimetière. Lindbergh suit, à distance. Le Dr Condon explique à son interlocuteur qu'il n'a pu rassembler que cinquante mille dollars. L'homme accepte l'argent en échange d'un reçu et d'une, hum, treizième note indiquant que l'enfant se trouve sur un bateau appelé Nellie, *aux abords de Martha's Vineyard, dans le Massachusetts. Deux femmes sont censées lui tenir*

---

1. *Le certificat-or* (gold certificate) *a été utilisé comme billet de banque aux États-Unis de 1882 à 1932. Il était échangeable contre de l'or à un taux garanti.*

compagnie. L'homme repart sans être inquiété et disparaît dans les sous-bois. Dès le lendemain, des recherches sont conduites à Martha's Vineyard.

Laissez-moi deviner : elles ne donnent rien.
Eh non ! Lindbergh, on l'imagine, est dévasté. Il survole la région en avion, espérant que les ravisseurs vont se montrer. Deux jours plus tard, il finit par admettre qu'il s'est laissé abuser et que toute l'affaire était un coup monté.

5 avril

Me voici errant aux alentours de Martha's Vineyard, espérant je ne sais quoi, attrapant le vent pour en faire des articles. Hier au soir, je me suis surpris à suivre des bateaux à la jumelle.

La police est partie. Tout ce qui pouvait être fait l'a été, je suppose. Le bébé n'est pas ici. Je ne comprends pas quel intérêt on peut trouver à jouer ainsi avec les nerfs de ses victimes. Oui, sans doute, certains détestent Charles Lindbergh — après tout, l'homme est riche, élégant, célèbre, bien marié — mais pourquoi ces atermoiements, ces volte-face sans queue ni tête ?

L'enquête continue ?
Oui ; mais la seule piste sérieuse s'est évaporée. Et les semaines passent, arides et cruelles.

Arrive le 12 mai. Le jour du drame.
À environ sept kilomètres (quatre miles et demi) de la maison des Lindbergh, un certain William Allen descend d'un camion pour aller uriner au pied d'un arbre et découvre un corps à moitié enterré. Immédiatement la police est prévenue. Dans un

état de décomposition avancée, le cadavre est emporté à la morgue, près de Trenton, pour y être autopsié.
Le crâne a été sévèrement fracturé, la jambe gauche et les deux mains sont manquantes, et il est impossible de déterminer si le bébé est un garçon ou une fille. Lindbergh et Betty Gow, toutefois, ne tardent pas à identifier l'enfant. La nurse reconnaît les vêtements – je vous passe les détails. D'après le légiste, la mort remonte au moins à deux mois. On procède à une crémation.

13 mai

Ai appris la nouvelle au bureau ce matin. William a tapé sur ma table. « Qu'est-ce que vous attendez ? » Et me voici de retour à Hopewell la bien-nommée[1] en compagnie de la meute hurlante. Pris un cliché de la mère, très pure, très digne, que je n'enverrai pas. Image exacte de la douleur.

Et l'enquête est au point mort.
Certes. Cependant, il faut noter un changement de taille : à l'instigation du Président, le Bureau d'investigation a dorénavant toute latitude pour coordonner l'enquête, ce qui n'était pas le cas auparavant. La récompense est ramenée à vingt-cinq mille dollars, mais toutes les agences du Bureau sont mobilisées.

Et il se passe encore des choses.
Des tonnes de choses ! Le 10 juin, Violet Sharpe met fin à ses jours, peu avant d'être interrogée pour la cinquième fois par les autorités : elle travaillait pour les Lindbergh – pour la belle-mère de l'aviateur, précisément.

---

1. *Littéralement,* Hopewell *pourrait se traduire par « bon espoir ».*

13 juin

Troisième voyage à Hopewell sous une pluie tiède qui fait monter des vapeurs au-dessus des champs. L'une des bonnes des Lindbergh s'est suicidée. J'ai interviewé l'inspecteur Walsh, chargé des interrogatoires. Il m'a décrit une jeune femme excessivement nerveuse : le quatrième entretien, m'a-t-il confié, s'est arrêté sur avis du médecin. Ensuite, j'ai parlé à Laura Hughes, sa secrétaire. « Quand Violet est sortie, je travaillais à mes notes. J'ai relevé la tête pour la saluer, et elle a eu cet étrange sourire. Puis elle m'a adressé un clin d'œil avant de disparaître. Je n'ai rien dit à l'inspecteur. S'il vous plaît, gardez ça pour vous, d'accord ? » J'ai opiné. Troisième fois aussi que j'essaie de parler à Lindbergh, sans succès.

C'est un suicide qui a fait couler beaucoup d'encre.
Et qui a suscité bien des hypothèses. Mais l'emploi du temps de la jeune femme avait été scrupuleusement épluché…

14 juin

Relu une fois de plus le rapport de police. Violet était probablement une jeune femme fragile. Peut-être même avait-elle entendu des choses. La pression que faisaient peser sur elle les enquêteurs a-t-elle eu raison de son équilibre mental ? Je ne puis la croire coupable de quoi que ce soit.

David ne pensait pas que Violet était liée au crime. Vous non plus ?
Pas plus que ça.

La suite…
La suite, c'est, pendant près de deux ans, une série de maladresses et de fausses pistes qui peuvent laisser penser que

June 16
No, I'm absolutely convinced Violet had nothing to do with it. The Lindbergh family reminds me more and more of a huge factory with its sinister gratings of pulleys, levers and pistons, and where every gear can be a fatal threat.

JOURNAL INTIME DE DAVID. 16 JUIN 1932. *Non, Violet n'y est pour rien : ma conviction est fermement établie. La famille Lindbergh me fait penser de plus en plus à une gigantesque usine, où grincent sinistrement poulies, leviers et pistons, et où chaque engrenage ressemble à une menace fatale.*

l'affaire ne sera jamais résolue. On enquête sur un gang de Detroit, sur les cimetières de New York, on épluche des listes de bateaux, on étudie des cas jugés similaires, des centaines de photographies de criminels sont examinées avec le Dr Condon afin de déterminer si l'une d'elles ne correspondait pas à l'énigmatique « John ».
En janvier 1934, le Bureau fédéral recommande à toutes les banques new-yorkaises de faire preuve d'une extrême vigilance quant à la circulation de certains certificats-or. Le mois suivant, une multitude de commerces et d'entreprises locales se voient remettre une liste des numéros de série des certificats en question.

Les lettres ne fournissent aucun indice ?
Leur examen mène à un consensus : elles ont toutes été écrites par la même personne, probablement un Allemand, qui aurait passé tout de même un certain temps aux États-Unis. Un

portrait-robot de « John » est établi en collaboration avec Condon et Joseph Perrone, le chauffeur de taxi. Comme à son habitude, le docteur se montre très coopératif. Grâce à son aide, les enquêteurs parviennent à mieux cerner la personnalité de « John », son profil psychologique, son niveau d'éducation. Et puis il y a une autre piste : l'échelle. Elle a été fabriquée à la main, assez grossièrement, mais par quelqu'un qui s'y connaît en mécanique. Un spécialiste est appelé : Arthur Koehler, qui travaille pour le département de l'Agriculture. Il compare le bois de l'échelle avec celui des usines voisines, examine les marques, les traces, etc. et rédige un solide rapport. Malgré cela, les progrès sont quasi nuls.

8 juin

Plus de deux ans se sont écoulés depuis la mort du bébé Lindbergh. J'y repensais hier au soir en faisant le tri dans mes notes.

Le Bureau traque toujours le meurtrier. Il y a bien longtemps, pour ma part, que je suis passé à autre chose. Non que l'affaire ait cessé de m'intéresser, au contraire, mais je suis journaliste, pas enquêteur, et je ne me nourris que de faits. Tout de même, deux ans ! La preuve est faite, si besoin était, qu'on ne cherche pas ici le meurtrier d'un enfant ordinaire.

Puis l'enquête avance enfin.

Nous sommes le 20 août 1934, et un premier certificat-or est retrouvé. Quinze autres vont suivre au cours des semaines à venir. Le moment tant attendu est enfin arrivé. Une carte est dressée, des épingles sont fichées – une pour chaque endroit où un paiement suspect a été signalé. Toutes les banques sont en alerte. Au commencement, les enquêteurs se concentraient sur les certificats, qui composaient l'essentiel de la rançon. À présent, ils savent aussi quels billets *chercher.*

Très vite, il apparaît que la description de la personne utilisant ces billets correspond bien à celle de « John ».

L'étau se resserre.

Et il va se refermer. Le 18 septembre, en début d'après-midi, un employé de la Corn Exchange Bank and Trust Company, sur la 135e Rue, contacte le Bureau. Un nouveau certificat vient d'apparaître. Il émane d'une station-service de la 127e Rue. On interroge les employés. L'un d'eux se rappelle : le 15 septembre, il a reçu le paiement des mains d'un individu qui pourrait être « John », en échange de cinq gallons d'essence. Méfiant – il n'avait pas l'habitude d'être payé ainsi et craignait une contrefaçon –, l'homme a pris soin de noter le numéro de la plaque d'immatriculation de l'acheteur, lequel se trouvait au volant, se souvient-il, d'une Dodge Sedan bleue. La piste mène à un certain Bruno Hauptmann, habitant au 1279 de la 222e Rue, dans le Bronx. Immédiatement, la maison de Hauptmann est placée sous surveillance.

Le lendemain matin, un homme en sort, qui ressemble manifestement au portrait-robot établi par le Dr Condon. Il est appréhendé. Une enquête est lancée. Elle montre que Hauptmann est allemand et qu'il vit aux États-Unis depuis onze ans. Il a sur lui un autre certificat de vingt dollars. Au total, plus de quatorze mille dollars sont retrouvés dans son garage. Le soir même, Hauptmann est reconnu par Joseph Perrone : c'est bien l'homme qui lui a remis la cinquième note. Le Dr Condon confirme.

L'écriture de Hauptmann est identifiée par des experts du Bureau comme étant celle qui apparaît dans les lettres. On découvre que Hauptmann, trente-cinq ans, possède un casier judiciaire en Allemagne et a fait de la prison. Deux fois sans succès, il a tenté d'entrer sur le territoire américain. La troisième tentative a été la bonne. Le 10 octobre 1925, Hauptmann a épousé Anna Schoeffler, une serveuse new-yorkaise. Un fils est né de cette union : Manfred, en 1933. Hauptmann est charpentier. Peu de temps après le rapt, il a commencé à jouer en Bourse et a cessé de travailler.

19 septembre

Développement tout à fait inattendu de l'affaire Lindbergh. Un homme aurait été arrêté ! William était surexcité en m'annonçant la nouvelle. « Il va falloir remettre les mains dans le cambouis, mon vieux. Inutile de vous pointer ici tant que vous ne m'aurez pas ramené une interview du colonel. »

Le coupable idéal, hein ?

N'est-ce pas ? Le 8 octobre 1934, Hauptmann est inculpé pour meurtre. Son procès commence le 3 janvier 1935 à Flemington, dans le New Jersey. Il dure cinq semaines. L'accusation joue sur l'évidence circonstancielle.

4 janvier

Premier (et dernier ?) entretien avec le colonel. Il me reçoit dans son bureau, éreinté, en bras de chemise. Malgré la fatigue, son visage conserve un éclat juvénile. Il est plus jeune — tellement plus jeune que moi ! Et quelle volonté dans son regard ! « Le "New York Times", hein ? Vous vous y plaisez ? » Manifestement, il n'affectionne guère les journaux. « Enfin, c'est toujours plus reluisant que le "Daily News" et son équipe de charognards. » Gêné, je me penche sur ma feuille de questions. « Croyez-vous fermement en la culpabilité de Hauptmann ? » La réponse est oui. « Êtes-vous de ceux qui pensent que la mort du coupable peut adoucir le chagrin des parents de la victime ? » Ses yeux se réduisent à deux fentes. « Qu'est-ce que ça change, ce que je pense là-dessus ? La justice doit faire son travail. » Je le brusque un peu : « Que répondez-vous à ceux qui mettent en doute votre capacité à identifier un homme que vous n'avez vu qu'une fois, à distance et dans le noir ? » Il forme un mot avec ses lèvres — un juron muet — puis regarde ailleurs.

Tout accuse Hauptmann.

Tout coïncide, en effet. Des marques d'outils sur l'échelle accablantes. Le bois de cette même échelle qui est aussi le bois de son plancher. Un manuel de construction pour devinez quoi ? Une échelle. L'adresse et le numéro de téléphone du Dr Condon trouvés chez lui, etc. Mais il faut bien comprendre que rien ne désigne directement Hauptmann comme le meurtrier. C'est pourquoi il plaide non coupable, prétendant – entre autre – que l'argent de la rançon a été laissé chez lui par un ancien associé, Isidor Fisch, et qu'il n'a pris connaissance du contenu de la boîte à chaussures pleine de billets que ce dernier lui avait confiée qu'après avoir appris sa mort. Le 13 février, le jury rend son verdict : Hauptmann est jugé coupable de meurtre au premier degré et condamné à la peine capitale. La défense fait appel, mais la Cour suprême du New Jersey confirme la sentence.

BRUNO HAUPTMANN, MENOTTÉ, PENDANT SON PROCÈS (CLICHÉ ANONYME).

Croyez-vous, personnellement, en la culpabilité de Hauptmann ?

(Rires.) *Je ne vais pas refaire le monde.*

Mais vous avez quand même votre petite idée, non ?

Ce qui est remarquable, d'abord, c'est que la veuve du condamné, Anna, s'est battue toute sa vie pour défendre l'honneur de son époux. Je vois mal ce qu'elle aurait eu à y gagner si elle n'avait été convaincue de son innocence. Nombreux sont ceux qui partagent son avis. C'est une affaire si embrouillée !

Anna Hauptmann – à gauche – arrivant au procès de son mari (cliché anonyme).

6 février

Suis enfin parvenu à approcher Anna Hauptmann. Une femme très digne, d'une laideur presque aristocratique. « Mon mari est innocent. » Elle annonce cela d'une voix ferme, avant même de s'asseoir. « Et son avocat est ivre. Vous n'avez rien remarqué ? » Je secoue la tête. Edward Reilly ne m'inspire pas une énorme confiance mais de là à imaginer...

Je sors mon calepin. « Ne pensez pas à votre article, crache-t-elle. Écoutez-moi. Personne ne m'écoute jamais. » Son regard exprime un mélange de colère et de dégoût, mais je devine que, quoi qu'il arrive, elle ne s'avouera jamais vaincue. « Moi, dis-je, je vous écoute. » Elle me répète ce qu'elle a déjà dit mille fois : que le soir de l'enlèvement, son mari est venu la chercher à la pâtisserie où elle travaille, et qu'ils sont rentrés tous les deux dans leur maison du Bronx où ils ont passé une nuit tranquille. Elle guette ma réaction, soupire. Elle veut, dit-elle, arracher « son Richard » (Richard est le deuxième prénom de son mari) à la chaise électrique. Elle ne reculera devant rien. Nous évoquons les Lindbergh. « Lui, assure-t-elle, je ne lui en veux pas. Il a besoin de trouver la paix. Richard est le bouc émissaire idéal, le meilleur que la police ait pu lui trouver. Savez-vous ce que l'on fait lorsque les preuves viennent à manquer, monsieur Mendelson ? » Je fais signe que non. « On les fabrique. » Elle regarde par la fenêtre. Un camion passe, bruyant, presque obscène. « Vous devriez aller faire un tour du côté des Morrow, dit encore Anna. Une étrange famille. Il est si facile de nous haïr. » Je lui touche l'épaule. Elle frémit, les larmes aux yeux. « Je ne suis que de la chair à ragots, n'est-ce pas ? »

Prises une par une, les preuves étaient réfutables, non ?
Disons plutôt : l'usage qu'en faisait l'accusation pouvait être réfuté. Par exemple, on reprochait à Hauptmann d'avoir inscrit l'adresse de Condon sur l'une de ses portes. Mais lui prétendait seulement être intéressé par l'affaire. Par la suite, un journaliste aurait reconnu avoir écrit l'adresse lui-même.

Si c'était vrai, pourquoi Hauptmann aurait-il avoué ?
Vous avez raison sur ce point. Cela étant, c'est à l'accusation de prouver qu'un homme a commis un crime, pas à la défense. Vous savez, plusieurs livres ont été écrits, prétendant démontrer l'innocence de Hauptmann. Je les ai tous lus : tous sont imparfaits – comme imparfaits sont le récit que je vous livre ou l'enquête des instances fédérales. On mélange les noms, les

dates. On oublie des détails, surtout ceux qui n'étayent pas la thèse qu'on essaie de défendre.
Des faits demeurent troublants. L'origine de l'échelle, par exemple. Les déclarations de plusieurs témoins. Le fait que, selon certaines sources, Hauptmann n'aurait fait la connaissance d'Isidor Fisch que trois mois après le rapt du bébé Lindbergh. D'aucuns sont même allés jusqu'à accuser Lindbergh d'avoir monté le dossier de toutes pièces pour protéger le véritable assassin – qui aurait été Dwight Morrow Jr., son beau-frère. En 2005, une émission de télévision a procédé à un réexamen des preuves en utilisant des méthodes d'investigation modernes. Elle a conclu à la culpabilité de Hauptmann, mais a aussi estimé que de nombreuses questions restaient en suspens.

11 février

Trentième jour de procès. Plaidoirie de Reilly. Assez convaincante mais — oserais-je le dire ? — pas vraiment plus que celle de l'accusation. Hauptmann reste dans de sales draps.

À la sortie, Anna s'échappe sous les flashes des photographes, et j'ai à peine le temps de croiser son regard. Ses yeux sont embués de larmes. Des cris, dehors : « À mort l'Allemand ! » Des imbéciles vendent des répliques miniatures de l'échelle du crime. Je tourne les talons, direction la salle de presse. Vacarme infernal ! Par-delà le tumulte des téléscripteurs, on aboie, on crie, on s'arrache les cheveux. Nous sommes serrés comme des sardines. Un brouillard de fumée acide se forme au-dessus des têtes.

Mon bloc-notes sur les genoux, j'essaie de rassembler mes pensées. Vainement. Trop d'éléments, trop de précipitation. C'est l'émotion qui va l'emporter, et l'émotion exige un coupable.

April 7, 1937
Day 30. Reilly's plea. Reminder of presumed innocence (redundant ?) 'They're American enough to be honest'. It's the crime of the Century... But my client is not guilty. Admiration for Lindbergh. Hauptmann: perfect idiot or criminal genius ? Need to choose.

BLOC-NOTES DE DAVID. *Jour 30. Plaidoirie Reilly. Rappel présomption innocence (superflu ?). « Assez américains pour être honnêtes. » C'est le crime du siècle... mais mon client n'est pas coupable. Admiration pour Lindbergh. Hauptmann : parfait idiot ou génie du crime ? Il faut choisir.*

La thèse qui accuse Dwight Morrow Jr. tient-elle debout, à votre avis ?

Je ne suis pas assez calé pour trouver un autre coupable. On a également parlé d'Elizabeth, la sœur d'Anna, qu'on disait éprise de Lindbergh et qui souffrait de désordres mentaux. Certains ont aussi prétendu que le colonel avait organisé lui-même l'enlèvement, parce que son fils était gravement malade. Les sites dédiés au thème regorgent de théories fort intéressantes, soigneusement argumentées – mais je ne les ai pas toutes étudiées, j'ai un travail ! (Rires.) *Ce qui m'intéresse, au plan humain, c'est plus l'innocence possible de Hauptmann que la culpabilité d'un autre. Il faut admettre que son procès s'est déroulé dans des circonstances très inhabituelles.*

La police était convaincue que Hauptmann était son homme, et Lindbergh aussi. Le colonel assistait au procès. Il était là tous les jours, devant les journalistes. Un homme blessé, drapé dans sa souffrance, digne et intouchable. Exerçait-il des pressions ? C'est difficile à dire. Un jour, une experte a voulu contester l'analyse graphologique menée sur l'écriture de Hauptmann : elle n'a pas été autorisée à témoigner.

26 février

Chez les Morrow, à Englewood. Reçu comme un chien dans un jeu de quilles. Mains dans le dos, je m'attarde devant un portrait de famille. « Qu'est-ce que vous cherchez ? » me demande Dwight Jr. sur un ton peu amène. « Je ne cherche qu'à y voir plus clair. » Il pose son verre de brandy sur le buffet. « Foutaises », dit-il. Je soutiens son regard. « Vous feriez mieux de déguerpir, marmonne-t-il. Laissez les honnêtes gens en paix. »

Henry, du "Daily News", était censé me laisser un mot à l'hôtel pour me donner le nom de l'institution dans laquelle le jeune homme avait été interné au moment du mariage de sa sœur. Évidemment, il a "oublié".

Insinuez-vous que Lindbergh a fait jouer des appuis ?

Tout est possible. Je n'affirme rien. Le fait est que c'est Lindbergh qui a reconnu la voix de Hauptmann – un élément déterminant pour l'enquête. Certes, il avait accompagné John Condon au cimetière. Mais c'était plus de deux ans et demi auparavant, vous voyez ce que je veux dire ? Si on vous demande de reconnaître quelqu'un et que, par ailleurs, tout accuse cette personne, vous êtes plus enclin à vous laisser aller. Peut-être que le colonel n'était pas très sûr de lui. Peut-être qu'il s'est décidé en cours de route, devant l'accumulation des preuves. Je ne crois pas en l'implication directe de Lindbergh. J'estime simplement que sa présence a pesé sur les débats.

Le verdict a été rendu. L'exécution suivra. Revenu au journal, David reprend ses anciens dossiers. L'espoir de jeter une lumière nouvelle sur l'affaire semble l'avoir abandonné, mais il continue de guetter l'épilogue.

Un dimanche après-midi de décembre 1935, un certain Deak Lyman, ami personnel de Lindbergh, entre en trombe dans le bureau de Walter Fenton, chez lequel David est venu faire quelques extras. « Walter, dit-il en jetant un coup d'œil méfiant à l'intrus, il faut qu'on parle. Je tiens un sacré scoop. » Les deux hommes s'éloignent. Le cœur de David bat à tout rompre. Un nouveau développement de l'affaire ? Fenton réapparaît deux minutes plus tard. « Mendelson, ordonne l'éditeur en claquant des doigts, allez donc prêter main forte à Lyman : il va nous pondre l'article de l'année. » Assis à son bureau, la figure pâle, Lyman est occupé à raturer furieusement une feuille. Il relève la tête. « Le colonel quitte le pays, lâche-t-il. Je ne sais pas comment tourner ça. »

Ainsi s'achève, officiellement, l'improbable et tumultueux feuilleton Lindbergh. Accablé par les menaces, les demandes d'interview et les lettres anonymes, le célèbre aviateur a décidé de quitter le pays pour l'Angleterre, avec sa femme et John Morrow, son fils de trois ans. Lorsque paraît l'article du *New York Times*, un scoop retentissant qui vaudra à Deak Lyman le prix Pulitzer, il est déjà en mer. Ironie du sort : c'est David lui-même, après qu'on lui a demandé de garder le secret, qui trouvera pour la manchette la formulation adéquate.

LA FAMILLE LINDBERGH VOGUE
VERS L'ANGLETERRE
POUR TROUVER CALME ET SÉCURITÉ.
DES MENACES PESANT SUR LA VIE DE L'ENFANT
ONT FORCÉ LA DÉCISION.

« Il était un peu triste, raconte Leah. Il s'était persuadé que Lindbergh lui accorderait un jour une nouvelle interview, une vraie cette fois, et qu'une vérité inédite se ferait jour. Son épilogue lui avait été volé. Il prenait cela comme un échec personnel. »

Après que tous les recours en grâce ont été rejetés, Bruno Hauptmann est électrocuté à la prison d'État de Trenton le soir du 3 avril 1936, à 8 h 44.

4 avril

La foule réclamait du sang, et elle a eu ce qu'elle attendait. Je n'ai pas assisté à l'exécution mais un collègue m'a décrit la scène : la tête rasée du condamné, son teint jaunâtre. Il regardait ses pieds, paraît-il, et il se serait cogné à l'un des médecins si un garde ne l'avait pas arrêté pour le remettre dans la bonne direction.

Hauptmann s'est assis, les mains crispées sur les accoudoirs. Ses lèvres n'ont pas tremblé. Rien n'indiquait qu'il voulait dire quelque chose. Il n'a pas fait un geste quand les médecins lui ont attaché les lanières.

14 avril

Revu Anna ce matin, dans un boui-boui du Bronx. Rendez-vous semi-secret. Une amie garde son bébé mais elle n'a, m'explique-t-elle, que peu de temps à me consacrer.

Ce silence ! Nous commandons deux cafés mais elle ne touche pas le sien. Ses ongles sont rongés. Elle se racle la gorge et lance des regards obliques aux alentours, comme si elle craignait d'être reconnue. Un couple chuchote en nous observant. Suis-je en train d'imaginer des choses ? « Il est innocent, déclare Anna en caressant l'anse de sa tasse. Mon mari est innocent et sa mort ne change rien. » Elle relève la tête. « J'ai tant pleuré le jour où j'ai appris que le bébé avait été enlevé ! Je voudrais rencontrer madame Lindbergh. Je voudrais la regarder droit dans les yeux et lui demander si son chagrin s'est envolé à présent que Richard est mort. » Évidemment, je ne trouve rien à répondre. Anna s'anime. Le rose lui monte aux joues, elle vide son café d'une traite, un rictus hargneux se dessine à la commissure de ses lèvres. « Je ne sais pas pourquoi je vous raconte tout ça. Vous êtes comme les autres. Un vautour. » Elle saisit sa petite cuillère. Sa main est peu sûre. « Savez-vous ce que c'est que de mourir sur la chaise, monsieur Mendelson ? » Je soupire. « Je ne puis que l'imaginer, madame. » Un triste sourire éclaire son visage. « Moi, je sais. J'en rêve chaque nuit. Une brûlure atroce, un cri qui refuse de sortir — un affreux cri de silence. Dormir, je ne sais plus ce que c'est. J'ai un enfant, et c'est pour lui que je m'accroche. Richard est parti. Ils me l'ont pris. » Je voudrais lui offrir quelques paroles de réconfort mais elle poursuit sur sa lancée. « Pendant le procès, j'ai reçu une lettre d'une femme qui prétendait qu'elle était passée à la pâtisserie le soir du kidnapping et qu'elle nous avait vus, Richard et moi. Elle disait aussi qu'elle avait peur de témoigner. » J'en reste le souffle coupé : « Où est cette lettre ? » Elle ferme les yeux. « Je l'ai confiée à l'un de vos amis du "Daily News". Il a promis qu'il *m'aiderait pour le procès. Mais il ne m'a jamais rendu la lettre, Dieu seul sait pourquoi. » Je me gratte la nuque. Comment fait-elle pour garder son calme ?*

Anna Hauptmann s'est éteinte le 10 octobre 1994 à Lancaster, en Pennsylvanie. À quelques semaines près, ai-je réalisé par la suite, j'aurais pu l'interviewer. Seulement, j'ignorais qu'elle était encore en vie à l'époque. Et que lui aurais-je dit ? Au soir de sa vie (elle s'apprêtait à fêter son quatre-vingt-seizième anniversaire), la vieille femme était toujours convaincue de l'innocence de son époux ; six décennies durant, elle avait rejoué le procès dans sa tête. Pour essayer de blanchir son Richard, elle avait intenté plusieurs actions en justice, en appelant même – sans succès – à la Cour suprême. Sur sa table de nuit étaient posés en permanence un stylo et une feuille de papier pour le cas où elle se serait souvenue d'un élément décisif.

Le 16 avril 1936, David Mendelson publie son dernier article sur l'affaire Lindbergh : un papier consacré à Anna et à son retour dans le Bronx. « *Il était très frustré, insiste Leah. Le* New York Times *était un support plutôt conservateur qui entretenait de bonnes relations avec Lindbergh. Et Ochs tenait avant tout à conserver l'image d'intégrité et de sérieux qui était devenue la marque de fabrique du journal. Il n'était pas question d'émettre des hypothèses – pas publiquement, en tout cas. Par ailleurs, il faut le reconnaître, David ne disposait d'aucune preuve tangible : juste des doutes, qu'il a dû garder pour lui. Deux ans plus tard, en octobre 1938, Lindbergh s'est vu remettre par Goering, "sur décision du Führer", une médaille frappée de l'aigle et du svastika. Dans la tête de mon frère, la boucle était bouclée.* »

16 juin

Un rêve encore. Anna Hauptmann me recevait chez elle. Le sol de sa cuisine était couvert de preuves, de dossiers, de photos. Galerie de faux témoins, certificats-or retrouvés, vices de forme : elle pleurait, et ses larmes de sang rendaient peu à peu ses documents illisibles.

Au cours des mois suivants, David continue de voir Anna, au point même de mettre en péril sa relation avec Helena, qu'il n'a toujours pas épousée et qui, pour une raison inconnue, semble se méfier beaucoup de celle qu'elle appelle « la veuve Hauptmann ».

D'après Leah, il arrive à son frère de mentir au sujet de ses sorties nocturnes. « *Je ne pense pas qu'il entretenait une liaison avec cette Allemande, raconte la vieille femme. D'abord, je vais vous dire : elle n'était vraiment pas jolie, et mon frère a toujours eu un faible pour les belles plantes – Helena était une* yefayfiyeh[1]. *Mais il était fasciné par elle, incontestablement, par l'aura de tristesse qui se déployait autour de sa personne. Elle était seule avec son bébé, vous voyez ? David devait rêver de lui rendre justice, et il n'y est jamais parvenu. Lui, tout seul, face aux Lindbergh ? Je ne vais pas vous faire un dessin. De toute façon, son travail l'accaparait trop. Les gens du* New York Times *ne le payaient pas pour tirer des plans sur la comète.* »

1. « *Une femme de grande beauté.* »

Le témoin et les flammes

La vie reprend donc son cours pour David, et avec elle la routine des salles de rédaction. Le 11 juillet 1936, l'aîné des Mendelson assiste à l'ouverture au trafic du pont Triborough, aux coûts de construction pharaoniques. Le 1er août, dans une ambiance délétère, s'ouvrent les jeux Olympiques de Berlin. Ils sont, dit-on, retransmis à la télévision. Le 3 novembre, Franklin Delano Roosevelt est facilement réélu président des États-Unis.

En décembre, pour l'anniversaire de leur rencontre, David offre à Helena un exemplaire d'*Autant en emporte le vent*, le roman de Margaret Mitchell.

Le mariage ? « *C'était devenu un jeu entre nous, raconte Doris Mendelson. Quand je lui parlais au téléphone, c'était*

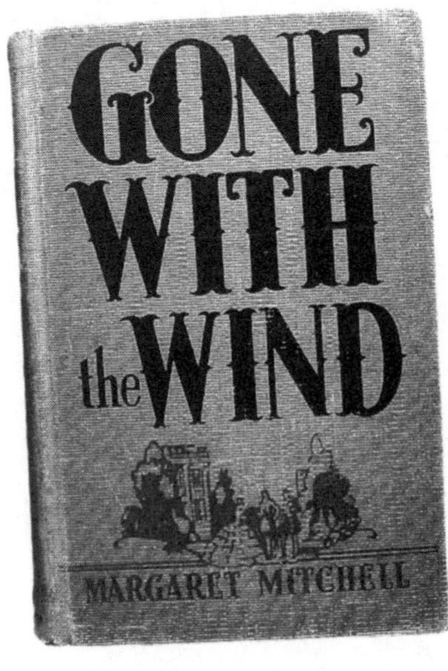

L'EXEMPLAIRE D'*AUTANT EN EMPORTE LE VENT* OFFERT PAR DAVID À HELENA (BIBLIOTHÈQUE DE LA MAISON MENDELSON DE GREENWICH).

pour le morigéner. Et ni ma mère ni ma grand-mère n'étaient en reste. »

1937 arrive. David est las, comme il l'écrit dans son journal en mars. « *Les postes clés sont barrés. Je ne suis pas, de toute évidence, le grand journaliste que je m'étais promis de devenir. Les faits divers m'ennuient. J'aspirais à la justice et à la réparation des torts ; on ne m'offre que des grèves, des inaugurations, parfois une mort spectaculaire. Pendant ce temps, une école explose au Texas, on meurt en masse en Espagne, et le régime nazi monte inexorablement en puissance.* »

À la date du 4 mai, on trouve une note similaire : « *Sept millions de chômeurs dans le pays, et on m'envoie à Lakehurst, dans le New Jersey, pour assister à l'arrivée triomphale du dirigeable* Hindenburg, *fleuron de l'armada hitlérienne – que son nom se perde à jamais.* » L'aîné des Mendelson ne le sait pas encore, mais cet événement va changer le cours de son existence.

En 1937, le *LZ 129 Hindenburg* est, avec ses 235 mètres de long et ses 41 mètres de diamètre, le plus grand dirigeable jamais construit. Orgueil de l'Allemagne nazie, il offre à ses passagers tout le confort et le luxe dont ils peuvent rêver ; il est aussi capable de se déplacer à 130 km/h. Détail d'importance : l'appareil était à l'origine conçu pour fonctionner à l'hélium, un gaz ininflammable sur lequel, suite à la prise du pouvoir en Allemagne d'Adolf Hitler, les Américains imposèrent un embargo. On lui préféra finalement le dihydrogène.

Après un baptême mémorable en 1936, le dirigeable quitte sa patrie pour un premier voyage vers Rio de Janeiro puis effectue d'autres traversées vers les États-Unis. Le voyage de mai 1937 est l'une de ces traversées – la première de l'année. Le *Hindenburg* part de Francfort le 3 mai. À son bord : trente-cinq passagers et soixante-et-un membres d'équipage. Le *New York Times* envoie David sur place en compagnie d'un certain Lester Fredericks, chargé de prendre des photographies. L'arrivée est prévue pour le 6 mai à six heures du matin mais, en raison de conditions météorologiques très instables, le dirigeable ne débute ses manœuvres d'atterrissage qu'en soirée. La suite, c'est David lui-même qui la raconte dans son journal, à la date du 9 mai.

9 Mai

16 heures ! Le monstre apparaît enfin dans le ciel lourd. Tout le monde se presse aux abords du terrain. À mes côtés, un homme m'assure que l'atterrissage est imminent. Il se trompe : voici, à la stupéfaction générale, que le "Hindenburg" bifurque, puis s'éloigne. « Bon Dieu, nous devrions aller prendre une bière », suggère Lester, lèvres retroussées, avant de vérifier une énième fois son matériel.

[...] Aux environs de 19 heures, le dirigeable est de retour. 19 h 15 : cette fois, dirait-on, c'est la bonne. Nous avons sympathisé avec Herbert Morrison, chargé par la station WLS de Chicago de commenter l'événement en direct. 19 h 21 : altitude, 295 pieds. Des amarres sont jetées, l'équipe chargée de l'atterrissage se met en place, mais les cameramen n'ont pas encore le droit de s'approcher. Herbert décrit chaque manœuvre avec précision. Lester, lui, est prêt à bondir avec le reste de la meute. 19 h 25 : quelqu'un montre le béhémoth du doigt. Lester me tend les jumelles. Des éclairs bleutés sont apparus sur la partie arrière, et nous ne sommes pas les seuls à les voir. Un brouhaha monte de la foule. Soudain, des flammes jaillissent. Le "Hindenburg" est en train de prendre feu. Occupés à filmer l'équipe d'atterrissage, les cameramen restent d'abord pétrifiés. Puis ils reculent, en proie à la panique.

LE *HINDENBURG* DÉJÀ EN FLAMMES, QUELQUES SECONDES AVANT LE CRASH (CLICHÉ DE LESTER FREDERICKS).

Le pont des passagers se disloque, l'appareil s'effondre, sa queue se désagrège, puis son nez et, bientôt, c'est la structure tout entière qui s'affaisse. Pendant quelques secondes, je demeure saisi par l'effroyable spectacle. Tout s'est passé si vite ! Sous la toile, le treillis apparaît et grésille telle une dentelle puis disparaît. Quelques secondes plus tard, il n'en reste rien. Herbert Morrison continue de commenter. Ses mots sont les seuls à conférer à la scène un semblant de réalité.

« Il prend feu ! Il prend feu et il tombe, il s'écrase. Regardez ! Regardez ! Écartez-vous ! Écartez-vous ! Charlie, filmez ça, filmez ça. Il est en feu... et il s'écrase ! Il s'écrase, c'est terrible. Oh, mon Dieu ! Écartez-vous, par pitié ! Il brûle et les flammes... Le voici qui tombe sur l'aire d'atterrissage. Et tout le monde est sous le choc, c'est l'une des pires catastrophes que le monde ait connu, c'est... Une chute de quatre cents ou cinq cents pieds à travers le ciel et... C'est un crash terrible, mesdames et messieurs. Il y a de la fumée, et des flammes à présent, et la structure s'est écrasée au sol, pas exactement sur l'aire d'atterrissage. Oh, mon Dieu ! et tous les passagers qui hurlent maintenant. Je vous assure, c'est... je ne trouve plus mes mots, mesdames et messieurs. Tout simplement : l'épave gît au sol, fumante, ah ! Nous avons du mal à respirer, et les hurlement... Je suis désolé, je vais devoir battre en retraite, je... je... peux à peine respirer... Oh, Charlie, c'est terrible. Je ne peux pas... Écoutez ! Je vais devoir m'arrêter une minute parce que... j'ai perdu ma voix. C'est le pire spectacle auquel j'aie jamais assisté. »

Plus tard, on nous expliquera que le dihydrogène s'est échappé de l'enveloppe du dirigeable et que cette dernière, recouverte de laque plastifiée — couches de butyrate, d'oxyde de fer et d'aluminium —, s'est embrasée de façon extrêmement rapide suite à une réaction aluminothermique. Mais sur le moment les mots n'ont aucun sens, et il n'est pas question d'explication. Seul le chaos est réel.

Tournant la tête, je vois Lester partir vers la carcasse, appareil en main. Je m'élance à mon tour. Des passagers hagards s'extirpent du brasier. L'un d'eux est en flammes. Je jette ma veste sur lui. « À terre, couchez-vous ! » Un autre homme arrive, m'aide à le rouler dans l'herbe. De toutes parts, des silhouettes accourent, hésitant à l'approche du carnage. La chaleur est intolérable, les émanations nous étouffent, nous craignons des explosions. Des cris percent à travers le craquement des flammes. Des rafales de vent attisent le brasier. Voici les sirènes. Je tousse à m'en arracher les poumons. Je suis aveugle.

À quatre pattes, une femme tend un bras vers moi. Elle gémit, et je me précipite. La voilà qui hurle des mots en allemand. Je lui réponds dans la même langue. Levant les yeux vers moi, elle perd connaissance.

Lester recule face aux flammes. Soudain, en le voyant ainsi, bravant le danger, agitant les bras, je comprends intuitivement le pourquoi de ma présence ici, et la raison de la sienne. Il est le témoin, celui qui observe. Je suis celui qui agit pour changer les choses.

L'entrée s'arrête là et nous laisse à nos questions. Combien de personnes David a-t-il sauvées ? Quels risques a-t-il pris ? Dès lors qu'on pourrait les soupçonner d'héroïsme, les Mendelson se montrent avares en détails.

Une abondante littérature documente le crash du *Hindenburg*. De nombreuses photos ont été prises, une enquête a été menée, des théories avancées – un film est même sorti en 1975, *L'Odyssée du* Hindenburg, réalisé par le metteur en scène de *West Side Story*. Sur le plan humain, trente-six personnes « seulement » ont trouvé la mort : treize passagers, vingt-deux membres d'équipage et un homme au sol. La plupart se trouvaient en haut de la coque ou près du nez du dirigeable et n'ont pas eu le temps de sortir. Certaines ont été prises au piège lorsque le pont A, contenant cabines et aire d'observation, s'est renversé sur lui-même.

On parle d'un passager acrobate, Joseph Späh, brisant une vitre avec sa caméra et sautant par la fenêtre d'une hauteur de vingt pieds, ou de membres d'équipage chanceux, situés près des hélices et parvenant à se frayer un chemin hors de l'épave au prix de quelques brûlures superficielles. Sur l'attitude du personnel au sol et des journalistes présents, les informations sont beaucoup plus parcellaires. La confusion qui régnait sur le lieu du crash empêcha manifestement tout recensement strict.

On sait que des hommes risquèrent leur vie pour sauver d'autres hommes : des témoins l'attestent. On suppose que David en faisait partie, et ceux qui le connaissaient s'accordent à dire que jamais il n'aurait menti sur un sujet aussi grave (ni sur aucun autre sujet, ajoutera Doris lorsque je lui poserai la question). Le reste – le détail des événements – demeurera à jamais une énigme.

Parmi les survivants de la catastrophe, deux étaient encore en vie à l'instant où le premier tome de *La Saga Mendelson* était mis sous presse : Werner Franz – un garçon de cabine, quatorze ans au moment des faits – et Werner Doehner, un passager, qui n'avait, lui, que huit ans. « *Il était assis dans le restaurant, raconte un journaliste à son propos. Ses parents venaient juste de prendre un cocktail au bar. La famille s'était attablée devant un dîner allemand traditionnel fait de fromage, de salade et de sandwiches.* [...] *Subitement, la salle s'est inclinée selon un angle de quarante-cinq degrés. Des chaises, des tables, des assiettes ont glissé et se sont renversées. Tout était en feu. Sa mère l'a soulevé, a essayé de le faire passer par la fenêtre, mais un débris l'en a empêchée et le garçon est retombé. Sa mère l'a soulevé encore. C'est la dernière chose dont il se soit souvenu. Il s'est réveillé à l'hôpital.* »

J'aurais pu me lancer à la recherche des deux Werner avec de bonnes chances de succès ; j'aurais pu leur demander qui était mort, qui s'en était sorti, et comment. Je ne l'ai pas fait : l'idée que ces vieux messieurs aient pu se souvenir de David était absurde et je ne tenais pas à les déranger pour rien, eux qui devaient avoir déjà été sollicités par ailleurs à d'innombrables reprises. (L'objet de mon livre, me suis-je également souvenu, était de raconter la vie des Mendelson : pas les aventures des autres.)

Reste que le désastre du *Hindenburg* va faire office de révélateur pour David, et étayer de façon resplendissante une théorie qu'il mûrit depuis plusieurs années déjà : face au drame, le journalisme ne peut demeurer passif. Il doit s'engager et participer au monde.

Leah se souvient : « *Cela faisait des années qu'il nous promettait, à Roy*[1] *et à moi, qu'il allait quitter le* New York Times. *Au fond, ils ne lui avaient pas donné sa chance. Les libertés qu'il avait prises lors de l'affaire de l'enlèvement du bébé Lindbergh, même si elles n'avaient pas prêté à conséquence, ne lui avaient jamais été octroyées de plein gré : elles avaient attiré l'attention de ses supérieurs sur son côté franc-tireur. Je le soupçonne de s'être fait remonter les bretelles plus d'une fois et d'avoir omis de nous en parler.* »

---

1. À cette époque, Leah a divorcé de Harry et est mariée au frère de celui-ci. *Voir page 89.*

New York, September 16
My dear Leah,
A quick note to let you know that things are moving, and actually looking up. My letter of resignation is ready: all I need to do is hand it in. Oh, I know what you're thinking. But I'm still hesitating. Hesitation will help reinforce my conviction. I'm definitely going to leave: it's just a matter of time and courage. I feel like a diver walking to the edge of the diving board.

LETTRE DE DAVID À LEAH. NEW YORK, LE 16 SEPTEMBRE. *Ma chère Leah, Un mot rapide pour te dire que les choses évoluent, et dans le bon sens. Ma lettre de démission est prête : ne me reste plus qu'à la remettre à qui de droit. Oh, je sais ce que tu penses. Mais j'hésite encore. J'ai besoin d'hésiter afin que ma conviction s'affermisse tout à fait. Je vais partir : ce n'est qu'une question de temps et de courage. Je suis comme le plongeur qui s'avance sur le tremplin.*

Ralph renchérit : « *Quand nous avions douze, treize ans, ça bardait fort à la maison. Notre père était souvent de méchante humeur. Son travail ne lui donnait aucune satisfaction : quand il se laissait aller à en parler, Helena faisait tout son possible pour l'apaiser. Je me souviens de la tragédie du zeppelin* Hindenburg *: tout le monde ne parlait que de ça dans le quartier. Cette grosse machine nazie qui s'était effondrée sous le poids de sa propre suffisance, ah ! On peut dire que ça en avait fait rire plus d'un.*

Mais notre père ne riait pas, lui, pas du tout. Des gens étaient morts sous ses yeux, et il en rêvait la nuit. Il avait vu son ami prendre des photos, et ces photos valaient désormais de l'or. Cette histoire l'a fait beaucoup réfléchir. »

Quelques jours plus tard, David prend une décision radicale. Lester Fredericks, son ami photographe rencontré dans une maison de retraite du New Jersey, se souvient :

« *Un matin, il est venu me trouver à mon bureau. Le téléphone n'arrêtait pas de sonner. Il a posé la main sur le combiné pour m'empêcher de répondre : "Lester, a-t-il déclaré en me regardant droit dans les yeux, est-ce que tu es sûr que ta place est ici ? Est-ce que tu ne voudrais pas prendre uniquement les photos que tu as envie de prendre, et laisser à quelqu'un d'autre le soin de les vendre ?" Il avait l'art de piquer votre curiosité. Le midi, nous sommes allés déjeuner ensemble et il m'a exposé son projet : il voulait créer une agence. En fait, il était si sûr de lui qu'il avait déjà fait imprimer des cartes.*

J'ai sifflé doucement. "J'ai des contacts, m'a-t-il expliqué. Le concept est le suivant : les photographes travaillent en duo. Un pour capturer le moment, l'autre pour changer ce qui peut l'être. C'est le vol du temps, mais

un vol humain." Ensuite, bizarrement, il m'a parlé de ses fils. Il a évoqué le premier, calme, réfléchi, excellent pour observer les choses – puis l'autre, actif, impliqué, toujours à vouloir prendre part. Il a cité les grèves, qui s'étaient déroulées sans nous, et ce pauvre type – Hauptmann – qui avait fini sur la chaise électrique. Il est revenu au zeppelin. Je ne savais pas quoi lui répondre. Cette idée d'agence était aussi farfelue que géniale. "Alors ?" À cette époque, j'en avais plus que ma claque, moi aussi, de trimer pour les gros bonnets du New York Times. *J'étais épuisé, et insatisfait. Je lui ai dit que j'allais réfléchir. Ce que j'ai fait... pendant au moins dix minutes.* (Rires.) *Six mois plus tard, l'agence était montée, et David vendait mes premières photos.* »

January 17
Things are working out even better than I'd hoped! Signed a contract last week with the Daily News for a series of twelve profiles of politicians. And many people have shown great interest in our coverage of the Benny Goodman concert at Carnegie Hall.

JOURNAL INTIME DE DAVID. 17 JANVIER 1938. *Les choses s'agencent mieux encore que je ne l'avais espéré ! Contrat signé avec le* Daily News *la semaine dernière pour une série de douze portraits politiques. Et notre reportage sur le concert de Benny Goodman au Carnegie Hall intéresse visiblement beaucoup de monde.*

« Il a donné sa démission en septembre 1937, reprend Leah, peu de temps après que je ne quitte moi-même les studios. En décembre, il a déposé ses statuts. Lui et Helena n'avaient jamais été très dépensiers. Roy a mis de l'argent dans l'affaire – contre mon avis, je dois bien le dire – et deux autres amis à lui aussi. Nous étions tous un brin inquiets. Mon frère organisait entre ses photographes ce qu'il appelait des "mariages d'affaire" : il insistait pour qu'ils travaillent en binôme, pour qu'ils apprennent à se connaître. La technique lui importait finalement peu. Il voulait revenir à l'essence du reportage. Voir, donner à voir, donner tout court. C'est un credo qui s'est quelque peu dilué par la suite, mais l'idée a bel et bien présidé à la naissance d'In Flames, et imprégné sa philosophie de façon très durable. Sa conception du journalisme "actif", il l'a transmise à tous les membres de notre famille. Quand Doris est partie en Chine avec Walter, en 1976[1], je n'ai pas été plus étonnée que ça. »

« Il avait d'abord loué ce petit deux-pièces sur la 37e Rue, conclut Ralph, pour en faire ses bureaux. La première fois que nous y sommes allés, Walter et moi, nous en sommes ressortis très déçus. Il n'y avait là que deux tables, deux chaises, quelques dossiers et pas la moindre trace d'une secrétaire. Très vite cependant, l'argent a commencé à rentrer. Notre père n'était pas lui-même un excellent photographe mais il possédait un instinct très sûr : il savait ce dont la presse avait besoin, et il savait comment la séduire, la prendre par les sentiments. Cette idée de travailler en duo, au fond, n'était peut-être rien d'autre qu'une façon de soulager sa conscience : il avait laissé sa famille derrière lui, il avait laissé son pays – toute une jeunesse d'exil et de solitude.

---

1. *Ce voyage est décrit en détail dans le tome 3 de* La Saga Mendelson, Les Fidèles.

Quand j'ai commencé à travailler avec lui, près de trente ans plus tard, la plupart des photographes avec qui il était en contrat formaient encore des binômes, même si les liens s'étaient distendus. On prenait goût à cette méthode parce que c'était plus qu'une méthode : c'était un état d'esprit. »

En 1938, l'agence de David emploie régulièrement une dizaine de photographes. En 1945, ils sont plus d'une quarantaine, et une centaine en 1956.

In Flames les lance sur des reportages photographiques et leur décroche des contrats, modestes pour commencer, puis de plus en plus juteux. C'est une sorte d'agence Magnum avant l'heure, dépourvue de grands génies mais porteuse de solides valeurs morales et esthétiques. Ses membres se font notamment connaître pour leurs portraits et leurs scènes quotidiennes mettant en valeur, *dixit* David lui-même, « des moments anodins et des visages anonymes confrontés au péril ». Cyclones, accidents, explosions, feux de forêt, affrontements, glissements de terrain, sécheresses, attentats, tremblements de terre, guerres – l'agence est sur tous les fronts.

En 1946, elle est renommée M. & Sons, appellation jugée moins agressive qu'In Flames par les associés, et qui se trouvera justifiée *a posteriori* par l'arrivée des propres fils de David.

Dès 1939 toutefois, le patriarche des Mendelson a gagné suffisamment d'argent pour acheter ses propres bureaux dans l'Upper East Side. Bien engagé dans la quarantaine, il semble enfin avoir trouvé sa voie.

MERRIE MELODIES

Los Angeles. Nous revenons maintenant dix ans en arrière. Un matin de novembre 1929, sur les coups de sept heures, Leah Mendelson rejette brusquement le drap du lit conjugal et étouffe un cri d'horreur. Une large tache de sang s'élargit entre ses cuisses : elle vient de faire une fausse couche.

Hospitalisée une semaine, elle regagne sa maison de Beverly Hills un dimanche, au bras de sa mère. Harry, comme à son habitude, est parti se saouler. « *C'est ce jour-là, vraiment, que j'ai compris qu'il n'y avait plus aucun avenir pour nous. La nurse est apparue sur le seuil. Elle tenait Doris dans ses bras, et Doris pleurait à chaudes larmes, je ne me rappelle plus pourquoi. Ce dont je me souviens, en revanche, c'est de la pensée qui m'a traversée alors : je suis seule.* »

Il s'écoulera pourtant plus de cinq ans avant que Leah Mendelson ne divorce de Harry : cinq années de hurlements, de vaisselle brisée, de supplications larmoyantes et de coups de feu dans les collines. « *Avec le recul, s'amuse la vieille femme, je ne sais pas comment cet imbécile a fait pour vivre aussi longtemps. Oh, je n'ai jamais souhaité sa mort, non. Seulement, il pouvait faire montre d'une grande violence ! Pas envers les autres – il aurait été incapable de me faire du mal, et encore moins à Doris – mais envers lui-même. Il descendait Mulholland Drive à tombeau ouvert. Il fréquentait tous les bars clandestins de la ville. Il perdait au jeu, il se brouillait avec ses amis, il côtoyait des membres de la pègre, des individus plus que louches. Oh… et il s'invitait à des soirées privées – c'était presque devenu un sport, chez lui. Évidemment, il flirtait avec des actrices mariées et il finissait généralement la nuit roué de coups, au pied des grilles d'une villa dont il ne connaissait même pas le nom et encore moins les propriétaires. Vous ne pouvez pas savoir combien de fois la police m'a appelée pour me demander de venir le chercher. À la fin, je n'y allais plus, mais il trouvait toujours un petit plaisantin pour payer sa caution. Il y avait pas mal de bons avocats parmi ses partenaires de golf.* »

Roy Langson, le frère de Harry, vient habiter à Los Angeles en 1933. Les déboires de son cadet l'attristent, mais c'est surtout pour Leah qu'il a peur. « *Mes premiers souvenirs ne sont pas très précis, nous confie Doris un demi-sourire aux lèvres, mais il était là plus souvent que mon père, c'est une certitude. L'été, il venait travailler dans le jardin. Allongé sur une chaise longue, ses cahiers éparpillés dans l'herbe, il préparait ses conférences de mathématiques, auxquelles personne ne comprenait rien. En parfait diplomate, il redoublait d'attentions pour ma grand-mère. C'était un homme d'une grande droiture : ses intentions n'ont jamais été mauvaises et, si vous cuisinez correctement ma mère, vous comprendrez que c'est elle qui – elle surveille les alentours, comme si elle craignait que nous ne soyons espionnés – vous comprendrez que c'est elle qui lui a mis le grappin dessus. »*

Difficile de savoir à quel instant, exactement, commence l'histoire de Leah et de Roy : en l'absence de lettres ou de journal, nous ne pouvons nous en remettre qu'à la principale intéressée, dont la mémoire semble parfois défaillante. Dans certaines versions, un baiser est échangé lors du soir de Noël 1933. À d'autres moments, rien ne se passe avant 1935 – les deux versions ne sont d'ailleurs pas si incompatibles qu'on pourrait le croire[1] : Roy est un homme discret et affable, et on peut imaginer qu'il ne se décide à courtiser sa belle-sœur qu'une fois convaincu de l'inéluctabilité de son divorce. « *J'ai parlé séparation avec Harry dès septembre 1934, raconte Leah, après une énième entrevue avec le rabbin Magnin. Ce n'était pas pour aller avec Roy, même si j'avais l'intuition, au fond de moi, que les choses se termineraient ainsi. Mais vraiment, la vie n'était plus possible. Il ne s'occupait pas de sa fille, il ne me touchait plus, il empestait l'alcool,* ich hob im in Bod[2]. *J'ai fait tout ce que j'ai pu pour lui puis, quand j'ai compris qu'il allait nous entraîner dans sa chute, Doris et moi, j'ai décidé de prendre le taureau par les cornes.* »

Le divorce n'est demandé qu'en février 1935. Comme s'il n'attendait que ce signal, Harry cesse brusquement de

---

1. C'est en juin 1935, contrairement à ce qu'il déclare dans le tome 1 de La Saga Mendelson, *Robert Logan – ami de Harry – apprend par ce dernier que Leah est enceinte. Selon elle, Harry s'évertuait alors à cacher son divorce.*

2. « Maudit soit-il. »

Dear little brother,

You asked me once if Roy was a funny man. Prove it to me, you said. Well, for your information, THIS is one of Roy's favorite jokes: A woman gets on a bus with her baby. The bus driver says: «That's the ugliest baby that I've ever seen. Ugh! The woman goes to rear of the bus and sits down, fuming. She says to a man next to her: «The driver just insulted me!» The man says: «You go right up there and tell him off - go ahead, I'll hold your monkey for you.» So - what do you think?

EXTRAIT DE LETTRE DE LEAH À DAVID. *Cher petit frère, Tu m'as demandé un jour si Roy avait le sens de l'humour. Illustre ta réponse, as-tu ajouté. Eh bien, pour ta gouverne, voici l'une de ses blagues préférées : « Une femme monte dans un bus avec son bébé. Le conducteur la regarde : "Beurk ! C'est le bébé le plus laid que j'aie jamais vu !" Furieuse, la femme part s'asseoir à l'arrière du bus. Elle se tourne vers son voisin. "Vous vous rendez compte ? Ce conducteur vient de m'insulter !" L'homme opine. "Vous savez quoi ? Retournez-y, et exigez des excuses – allez-y, je vous tiens votre singe." » Alors, qu'en dis-tu ?*

boire. «*J'étais certaine que notre rupture allait le dévaster, confie Leah. Au début, c'est le contraire qui s'est produit. J'ignore s'il cherchait à me reconquérir mais en vérité, j'étais surtout soulagée. Sur le plan financier, Harry s'est montré exemplaire. Il m'a laissé la maison –par notre mariage, j'en possédais une partie, Roy a racheté l'autre ensuite – et il est parti habiter du côté de Sunset Boulevard. Ensuite, il a déménagé à Santa Monica, Dieu sait avec qui ! Dès le mois de mars, Roy est venu s'installer à la maison. Nous nous sommes mariés civilement, en tout petit comité, et Harry n'a émis aucun commentaire. Roy m'a dit qu'il lui avait parlé ; j'ignore ce qu'ils se sont raconté mais, en définitive, nous sommes sortis de ce cauchemar bien plus facilement que je ne l'avais imaginé. Harry m'avait tellement habituée au pire !* »

En novembre 1935 naît Alfred, le fils de Leah et de Roy. Ce dernier est fou de joie. Batsheva aussi : elle a toujours apprécié le frère de Harry, et un petit-fils est pour elle, après les années houleuses que vient de traverser sa fille, comme un présent du ciel.

« *Pour la première fois depuis mon enfance à Odessa, raconte Leah, je comprenais le sens du mot "calme". Tout était bien. Le divorce avait été rapidement prononcé,* danken Got, *Harry volait de ses propres ailes – un poste à la Fox, assistant réalisateur – et il nous laissait en paix. J'avais mes enfants, j'avais mon travail. Alfred était un bébé magnifique : son père le couvait d'une affection sans bornes. J'ai reçu une très belle lettre de David, sincèrement réjoui. Doris, elle, continuait de grandir. C'était une petite brunette bouclée, terriblement espiègle. Je la vois encore, agenouillée devant un massif de roses, courant à toutes jambes à travers le jardin ou jouant aux cartes avec sa grand-mère. Batsheva s'était découvert une passion pour le bridge – elle fréquentait même un club, dans une villa voisine – et elle s'était mise en tête d'initier sa petite-fille. On pouvait parler d'harmonie, alors. J'avais cette chance inouïe de faire un métier qui me plaisait, avec des gens extraordinaires. Certes, c'était éreintant, et Roy voyageait beaucoup pour ses conférences. Mais cela me convenait tout à fait. Vous savez, il n'était pas très expansif, les autres vous le confirmeront. En revanche, c'était l'homme le plus gentil de la Terre, et je pouvais compter sur lui. Vraiment, ces quelques années d'avant-guerre ont été merveilleuses.* »

À partir de 1930, Leah travaille pour Leon Schlesinger, qui va contribuer à la création et à la mise sur le marché des plus fabuleux cartoons de l'histoire de l'animation.

Schlesinger a tout du patron de studio. Bourru, assez ignorant et remarquablement imbu de sa personne, il possède néanmoins une qualité déterminante : il sait s'entourer. Dès 1935, il attirera dans les filets de la Warner (qui, à l'époque, marche péniblement sur les traces de Disney) de jeunes génies du nom de Chuck Jones, Bob Clampett ou Tex Avery.

LES ANCIENS STUDIOS WARNER, SUR LE SUNSET BOULEVARD. TERMITE TERRACE EST INSTALLÉE À PROXIMITÉ (CLICHÉ DE DAVID MENDELSON).

Directeur de la firme Pacific Art and Title, spécialisée dans la réalisation de génériques, il s'associe au départ avec Hugh Harman et Rudolf Ising, qui recherchent un distributeur pour commercialiser un de leurs dessins animés. Et c'est grâce aux relations étroites qu'il entretient avec les frères Warner, dont il est un cousin éloigné, qu'il se lance dans l'aventure de l'animation – après avoir passé avec eux un contrat de distribution.

De 1930 à 1933, Harman et Ising créent coup sur coup deux séries dont les noms resteront à jamais célèbres : Looney Tunes et Merrie Melodies – cette dernière ayant initialement pour objectif de promouvoir, par le dessin animé, les chansons vedettes du répertoire des films de la Warner. Leur production, hélas, n'est guère à la hauteur des ambitions affichées. « *Ils se contentaient du train-train quotidien, se souvient Leah. Ils plagiaient mollement la concurrence. Leon avait bien conscience que cela ne pouvait suffire face à Disney. Il ne savait pas ce qu'il voulait à cette époque, mais il savait que ce n'était pas ça.* »

En 1933, les deux hommes rompent avec Schlesinger au prétexte que celui-ci refuse d'augmenter les budgets alloués à leurs films. Le patron de Leah se retrouve alors avec deux titres de séries sous la main et un slogan qui, déjà, conclut toutes les productions maison : « *That's all, folks !*[1] » Il décide d'embaucher : ce sera l'arrivée de Tex Avery et consorts, des francs-tireurs complètement inconnus à l'époque. Après quelques tâtonnements, le risque se révèle payant. Les nouveaux venus insufflent une folie authentique aux créations de la Warner. Les personnages qui prennent

---

1. « *C'est tout pour aujourd'hui, les amis !* »

vie dans leurs cerveaux ont pour noms Porky Pig, Bugs Bunny, Elmer Fudd ou Daffy Duck. Soixante-dix ans plus tard, leur notoriété demeure intacte.

Devant l'énergie déployée par ses jeunes collaborateurs, Schlesinger décide de les installer du côté de Sunset, dans un petit bungalow de cinq pièces à l'écart des studios, qu'ils baptisent « Termite Terrace ». C'est en ce lieu que vont naître, dans une ambiance joyeusement survoltée, les meilleurs dessins animés des années trente.

À l'époque où je commence à me documenter sur la vie professionnelle de Leah, en 1996, la vieille femme n'est, hélas ! pas disponible pour répondre à mes questions : des problèmes digestifs sérieux la tiennent alitée dans un hôpital new-yorkais. Soucieux de ne pas la surmener, désireux également d'avancer dans mon travail, je poursuis mes recherches et finis par retrouver la trace, dans la banlieue de Chicago, d'une certaine Aurora Leviero – dont la mère, Sara Jane Taylor, fut apparemment la plus proche collaboratrice de Leah au sein de la Warner. Sans hésiter, je saute sur l'occasion.

Au début des années trente, Sara Jane et Leah sont les meilleures amies du monde. Miss Taylor s'occupe de l'emploi du temps de Schlesinger : elle prend ses rendez-vous, réserve ses taxis, etc., tandis que Leah tape son courrier et reçoit les doléances des animateurs. La sœur de David va passer près de huit ans à la Warner, de 1930 à 1937, et son

FOXY, LE PREMIER HÉROS DES MERRIE MELODIES, VOIT LE JOUR EN 1931. ON REMARQUERA SA RESSEMBLANCE FRAPPANTE AVEC MICKEY.

amitié avec Sara Jane durera pratiquement tout ce temps. Le témoignage d'Aurora, qui a beaucoup parlé avec sa mère à propos de son travail et qui a pris soin de rassembler ses propres archives avant de me recevoir, offre un précieux éclairage sur la période qui nous occupe (j'aurai par la suite un autre entretien avec Leah au sujet de la Warner, mais nous n'avons pas jugé utile de le reproduire ici : pour l'essentiel, il corrobore le récit d'Aurora).

Aurora, j'ai cru comprendre que votre mère n'était plus de ce monde.
En effet. Elle nous a quittés en 1979.

Elle était née en...
1907.

Elle était donc un peu plus jeune que Leah Mendelson. À quel âge est-elle entrée à la Warner ?
Vingt-quatre ans. C'était en 1931.

Pouvez-nous nous éclairer sur les circonstances de son arrivée ? Quelle profession exerçait-elle auparavant ?
Oh, elle n'avait pas fait grand-chose. Mais son père – mon grand-père – était un grand ami de Leon Schlesinger. Il avait travaillé avec lui à Buffalo. Ma mère écrivait bien, et elle possédait des nerfs à toute épreuve. Leon cherchait une secrétaire. Elle a été embauchée sur-le-champ.

Quel âge aviez-vous en 1931 ?
Trois ans.

Vos souvenirs sont donc plutôt flous.
Oui et non. Ma nourrice était souvent malade, et ma mère était parfois obligée de m'emmener à son travail. Cela l'exaspérait, et cela devait exaspérer encore plus Leon Schlesinger, mais je garde de lui l'image d'un homme affable et rigolard, toujours aux petits soins pour moi.

Quelles étaient les relations entre votre mère et Leah Mendelson ? Votre mère vous parlait-elle d'elle ?
Leah et ma mère travaillaient en tandem. Elles ne faisaient pas la même chose, Leah était plus proche des animateurs. Mais elles étaient très amies, complices même. Leah est venue plusieurs fois à la maison avec son homme, un grand gaillard aux cheveux en bataille qui me régalait d'énigmes impossibles. Et il y avait Doris. Une belle fille très sage, un peu plus

âgée que moi. Elle allait dans ma chambre et elle me racontait tout un tas d'histoires sur mes poupées, d'un ton parfaitement égal. Plus tard, il y a eu un bébé.

Alfred ?
Un petit garçon, oui. Honnêtement, je ne me rappelle plus très bien. Leah est celle dont je me souviens le mieux. J'ai passé plusieurs journées avec elle, quand ma mère était trop occupée.

Vous avez donc connu « Termite Terrace »...
(Elle sourit.) *C'est quelque chose de mythique, non ? Vous n'êtes pas le premier à venir me voir, vous savez. Je veux dire, le papa de Bugs Bunny m'a fait sauter sur ses genoux.* (Rires.) *Sauf qu'à l'époque, TermiteTerrace n'était pour moi qu'un baraquement délabré peuplé de personnages un peu fous.*

Ils l'étaient, non ?
Bien sûr qu'ils l'étaient. Le studio était divisé en box séparés par des cloisons légères. Il y avait ce type – je ne me souviens plus de son nom – dont le jeu consistait à envoyer des pétards allumés par un trou formé dans les cloisons, en les tapant avec une règle. Je l'ai vu faire, et j'ai vu ses amis sursauter comme des diables, et j'ai vu ce type recoller son mémo de la journée sur le trou en se retournant vers moi, index sur la bouche. Une autre fois, il m'a montré la machine à pointer que Leon avait fait installer, et il m'a expliqué comment la mettre hors d'état de nuire – en y glissant une lime à ongles.

Ce devait être John McGrew.
Ah oui, peut-être. Je suis loin d'avoir retenu tous les noms, et je

ne m'intéresse pas tant que ça aux dessins animés, même si mes deux fils ont été biberonnés aux productions Warner pendant toute leur enfance. Mais je me souviens de Tex Avery, certainement, et des efforts que Leah faisait pour rester sérieuse avec lui. « Tex, lâchez cet arrosoir cinq minutes, il faut vraiment que je vous parle... » (Rires.) *Il avait inventé un grand jeu qui consistait à se retenir le plus longtemps possible d'uriner. Lorsqu'il n'y tenait plus, on le voyait traverser le studio comme un bolide en criant : « Chaaaaarge ! » Les autres continuaient de dessiner comme si de rien n'était. Je crois bien que j'ai fait moi-même pipi dans ma culotte le jour où j'ai assisté à sa première démonstration.*

Les artistes vous montraient-ils leurs dessins ?
Ils faisaient même plus : ils me montraient des rushes de films. Je me souviens de l'un d'eux, deux ou trois ans après que ma mère avait quitté les studios, lors d'une réception d'anniversaire. C'était tout à fait extraordinaire : Porky Pig entrait chez Leon pour lui donner sa démission sur les conseils d'un canard qui, j'imagine, devait être Daffy Duck. C'était un mélange d'animation et d'images réelles, comme Qui veut la peau de Roger Rabbit ? *mais quarante ans en avance !*

C'est ce dessin animé qui s'appelait *You Ought to Be in pictures.*
Exactement !

À l'aube de l'année 1936, les activités de Roy Langson se multiplient. Des livres sont publiés, des conférences organisées : l'homme obtient enfin la reconnaissance de ses pairs. Bientôt, on lui propose plusieurs postes d'enseignant prestigieux à Harvard et à New York. Il décline toutes les offres.

« *Oui, se souvient Leah, c'est moi qui lui demandais de refuser : il était hors de question de déménager sur la côte est. Nous avions trop besoin de soleil, et je n'imaginais pas Roy là-bas une seule seconde. Fin 1936 tout de même, il a insisté pour que nous nous rendions à Princeton, où se pressait, semblait-il, la crème mondiale des mathématiciens. Ses éditeurs avaient organisé toute une série de conférences autour de ses livres. À l'époque, je m'entendais de plus en plus mal avec Leon. Alfred était chétif, souvent souffrant, on me reprochait mes retards et mes absences, il y avait des tensions avec l'équipe artistique. Je suis venue trouver mon patron à son bureau et je lui ai dit que je ne me sentais pas bien. Ce n'était pas mon habitude. Il a posé son stylo et il a relevé la tête. "Vous voulez une augmentation ?"* A broch[1] *! C'était typique. Non, il n'était pas question d'argent. Roy venait de signer un contrat pour une série d'ouvrages de vulgarisation, et je voyais l'avenir d'un œil confiant ; objectivement, perdre mon travail à ce moment m'aurait ennuyée pour le principe, mais cela n'aurait pas été un désastre. Je voulais me reposer, changer d'air. Leon a dû sentir le vent tourner. Il s'est montré étonnamment conciliant. Malgré tout ce qu'il pouvait dire, je lui étais précieuse. Depuis plusieurs mois déjà, certains animateurs ne voulaient plus lui adresser la parole : ils ne passaient que par moi. Schlesinger m'a accordé un congé de cinq mois, dont quatre sans solde. "Revenez-nous vaillante", a-t-il déclaré en me tenant la porte. Ça a été le début de la fin.* »

---

1. « *Bon sang.* »

« Ce qu'il fallait démontrer »

ROY ET LEAH PARTENT POUR PRINCETON en décembre 1936. Les enfants sont laissés aux soins de leur grand-mère et de leur gouvernante à Beverly Hills. « *C'était la première fois que nos parents partaient aussi longtemps, se rappelle Doris. Personnellement, ça ne me dérangeait pas plus que ça. Mais pour Alfred, qui était si petit et si vulnérable, la séparation a été douloureuse. Pendant deux semaines, il n'a presque rien mangé. Regard vide, air absent. Notre grand-mère se tordait les mains. Les choses ont fini par s'arranger* in extremis. *Un jour de plus, et Roy et ma mère rentraient en catastrophe.* »

À New York, le couple passe quelques jours chez David et Helena avant de prendre le train pour Princeton. « *Notre tante et Roy étaient comme de jeunes mariés, raconte Ralph, ravis de leur liberté nouvelle, étourdis par la ville. Ils ont insisté pour dormir sur le sofa du salon. L'appartement ressemblait à un véritable campement, et nous étions tous follement joyeux! Helena et Leah étaient très attentionnées l'une envers l'autre. Quant à notre père et à Roy, ils ne se voyaient que pour la deuxième fois il me semble, mais ils s'entendaient comme larrons en foire. Le dernier soir, au restaurant, ils ont parlé d'Adolf Hitler et de la kabbale, et nous sommes sortis à minuit au milieu d'une tempête de neige. C'est ce soir-là, je crois, que j'ai compris ce que le mot "famille" signifiait.* »

Sur le plan universitaire, Princeton est sans conteste l'un des plus prestigieux établissements américains : l'équivalent, en termes de rayonnement, de Cambridge ou d'Oxford. Einstein y enseigne, ainsi que l'historien Robert Palmer et une légion de personnalités moins connues du grand public. Parmi ses étudiants célèbres : neuf prix Nobel de physique passés ou à venir, cinq d'économie, et une batterie d'écrivains, d'acteurs et d'hommes politiques.

« *Le premier jour, se rappelle Leah, nous avons été accueillis par des étudiants de l'université spécialement appointés. Des jeunes gens charmants, volubiles, et probablement dotés d'un QI de 170 : la fine fleur de la communauté scientifique du pays. Ils étaient si gentils! Et ils avaient lu tous les livres de Roy — il était une sorte de dieu à leurs yeux. On nous a fait visiter le campus. Des bâtiments aux architectures nobles et délicates, perdus au cœur d'un parc immense. Des auditoriums, des amphithéâtres, des arches gothiques, des pelouses immaculées.*

Je me souviens de la chapelle : elle avait été construite dix ans auparavant mais, à mes yeux, elle sortait tout droit du Moyen Âge. La bibliothèque aussi était très impressionnante. On racontait que des étudiants s'enfermaient dans des cellules cadenassées, tels des moines, pour travailler à leur thèse. Il y avait des genres de temples grecs à colonnades où se tenaient des débats philosophiques. Les professeurs cheminaient avec leurs élèves. On se serait cru trois mille ans plus tôt à Athènes. Partout flottait un air de stimulation intellectuelle tout à fait extraordinaire. Inutile de vous dire que Roy était aux anges. Moi, j'étais pendue à son bras, et des élèves venaient à notre rencontre, les yeux brillants, avides de sa parole. Ils parlaient de choses tellement compliquées que j'avais l'impression d'entendre une langue étrangère. « CQFD ! » répétait l'un d'eux en riant dès que quelqu'un éternuait. Certes, j'avais déjà assisté à une ou deux conférences de mon mari auparavant. Mais c'est à Princeton que j'ai compris ce qu'il représentait vraiment aux yeux de ses pairs. Sur les marches de Nassau Hall, nous avons pris une photo de groupe. L'intérieur renfermait de véritables trésors. Ensuite, on nous a montré nos appartements. Nous habitions une petite maison au cœur d'un village féerique. Les draps étaient frais, les fenêtres ouvertes sur le jardin. »

Je me suis moi-même rendu à Princeton – une visite d'études, sans aucun rapport avec les Mendelson – en 1993. Au moment de rédiger ces lignes, des images et des sensations me reviennent en mémoire. Comment décrire le sentiment d'émerveillement craintif qui saisit le visiteur lorsque, pour la première fois, il s'engage dans ses allées au cœur d'une nuit gorgée d'étoiles ?

L'université de Princeton (photo de l'auteur – 1993).

Princeton est un endroit hors du temps, où le temps lui-même se dissèque et se discute.

Le couple Mendelson a dû y vivre des mois passionnants.

De décembre 1936 à début avril 1937, Roy donne plus de quarante conférences et séminaires au sein de trois amphithéâtres distincts.

« *Je n'étais pas présente tout le temps, poursuit Leah. Mais j'aimais bien l'écouter. Quand il montait derrière un pupitre, il n'était plus le même : son regard exprimait une joie d'écolier, et ses mains ! On aurait dit des oiseaux à qui on venait d'ouvrir la cage. Quand je ne l'accompagnais pas, je restais dans notre maison à lire. Je n'ai jamais autant lu qu'à cette période ! Tout ce qui me tombait sous la main, de Daphné Du Maurier à William Faulkner en passant par* Eyeless in Gaza, *ce livre de Huxley si singulier que m'avait offert un étudiant. Je dormais beaucoup, également. Les enfants me manquaient mais pas les réveils à six heures. Je leur écrivais de longues lettres, ainsi qu'à ma mère. Et je me sentais bien. Apaisée, tranquille. Le soir venu, nous sortions dîner. Les amis de Roy étaient là, des messieurs amusants, pleins de charme et de surprises. De temps à autre, au milieu du repas, l'un d'eux se levait, pris d'une inspiration subite, et déclamait quelque chose à propos de l'espace-temps. Roy souriait. "Tu vois cet homme ? C'est l'un des plus brillants esprits du XXe siècle." J'avais l'impression que ce qualificatif pouvait s'appliquer à tout le monde autour de la table, sauf à moi bien entendu. C'était parfois déconcertant. Il y avait cet Anglais, par exemple : Alan Turing. Jeune, timide, fascinant – un* foigel[1]. *En parallèle de sa thèse, il menait des travaux sur le décryptage. Un soir, il m'en a parlé pendant deux heures. Son obsession, c'était de mettre au point des codes pratiquement impossibles à déchiffrer mais très faciles à coder. Il souriait doucement, comme un magicien qui s'ignore. "Si l'enseignement me fatigue, disait-il, je pourrai toujours revendre mes codes au gouvernement de Sa Majesté. Évidemment, ce n'est pas très moral. Mais cela nous permettra de gagner la guerre." Le soir même, Roy et moi avons pris le thé dans notre petit salon. Dehors, la neige tourbillonnait. Roy a essayé de m'expliquer quelque chose à propos d'un article de Turing présenté l'année précédente à la London Mathematical Society et qui jetait les bases d'une science nouvelle, évoquant une machine automate capable d'effectuer tous les calculs du monde. Un rire idiot m'a échappé. Je n'entendais rien à ce charabia insensé. Roy a ri à son tour. Lui non plus, apparemment. Nous sommes montés nous coucher, hilares et un peu ivres. Nous n'avions jamais été aussi proches. »*

---

1. « *Un malin.* »

À l'aube des années quarante, il était certainement impossible à Leah – et peut-être même à Roy – de comprendre qui était vraiment Alan Turing, et à quel point ses théories allaient bouleverser le monde scientifique. À la façon dont la vieille femme répond à mes questions, je devine néanmoins que le souvenir du jeune homme est toujours présent dans son esprit. Hasard intéressant : il se trouve qu'au cours de mes périgrinations d'auteur, je me suis déjà documenté sur Alan Turing, personnalité hors du commun ayant notamment inspiré le romancier Thomas Pynchon pour *L'Arc-en-ciel de la gravité*. « *Vraiment ? s'étonne Leah, vous le connaissez ?* » Je me gratte la nuque. « *De loin, dis-je. Mais je sais qu'il est considéré comme l'inventeur de l'informatique moderne : le père de l'ordinateur programmable, si vous préférez.* » Elle acquiesce, songeuse. Nous parlons d'hypercalcul. J'évoque la participation du jeune homme au projet Ultra – impliquant le décryptage des messages allemands pendant la Seconde Guerre mondiale. C'est une histoire d'espionnage véridique, riche d'implications mathématiques foisonnantes. La suite est moins glorieuse : une existence solitaire, un cambriolage stupide, un procès pour homosexualité dans l'Angleterre des années cinquante, et le suicide, enfin : Turing croque une pomme enduite de cyanure (une légende tenace veut que cet épisode ait donné naissance au logo d'Apple). Leah renifle. « *Pauvre petit. Parfois, j'avais le sentiment que lui et ses semblables n'étaient pas de ce monde.* » Je lui demande si elle pense la même chose de Roy. Elle secoue la tête. « *Non, non, Roy était un homme équilibré, très ancré dans la vie réelle. Vous savez, il donnait parfois des conférences dans des écoles élémentaires, et tout le monde le comprenait, même moi : il avait un talent indéniable pour mettre les concepts les plus compliqués à la portée des esprits les plus simples.* »

À la fin mars 1937, les hôtes de Roy le supplient de rester. Les conférences rencontrent un succès qui dépasse leurs espérances, et les demandes se multiplient. « *Ils étaient prêts à augmenter ses honoraires de façon spectaculaire, explique Leah. Mais lui tenait à rentrer à cause de mon travail. Or, il se trouve que j'étais de moins en moins sûre de vouloir reprendre à la Warner. L'ambiance là-bas était devenue désagréable, à présent que j'y repensais. Et j'avais l'impression*

April 7, 1937
Roy is doing marvelously well at Princetown.
My sister says he keeps on getting job offers,
here and in Boston among others. However,
I know for sure that kind and noble but
stubborn lady will always refuse to come back,
since she has sworn allegiance to the California
sun to her last dying day.

JOURNAL INTIME DE DAVID. 7 AVRIL 1937. *Tout se passe merveilleusement bien pour Roy à Princeton. Ma sœur affirme qu'on ne cesse de lui proposer des postes, y compris ici ou à Boston. Je sais bien, cependant, que cette douce et noble entêtée refusera toujours de revenir, et qu'elle prêtera allégeance au soleil californien jusqu'à son dernier souffle.*

de ne pas voir grandir nos enfants : ils me manquaient de plus en plus. Un soir, nous nous sommes assis en tailleur sur le sofa et nous avons pris une feuille pour faire la liste des pour et des contre. Il y avait des questions financières, des questions de confort, des questions de choix de vie. Quand nous avons eu terminé, la première colonne dépassait la seconde de moitié. Depuis quelques semaines, on promettait à Roy des postes très bien payés dans plusieurs universités californiennes. Son seul travail — livres, plus cours, plus conférences — nous permettait dorénavant de vivre dans l'aisance. Le moment était sans doute venu de nous poser les vraies questions. Pour finir, Roy a souri, et j'ai souri aussi. Le lendemain matin, j'ai appelé Schlesinger pour lui dire que j'arrêtais et que ma décision était irrévocable. Il avait l'air catastrophé. "Seigneur, a-t-il gémi, je croyais que ce n'était pas une question d'argent !" Je lui ai dit que ce n'en était pas une. Je lui ai dit que je voulais me reposer pour de bon. Je l'imaginais tête basse, à l'autre bout de la ligne. "Leah, bon Dieu, c'est la panique au studio. Votre présence est une nécessité absolue" J'ai effleuré mon abdomen. "J'espère que vous vous trompez !, ai-je répondu d'une voix douce, parce que je suis enceinte." Il a dû se retenir très fort pour ne pas crier : "Encore." J'ai entendu ses dents grincer. "Restez au moins trois mois, s'il vous plaît : jusqu'à cet été, le temps que je puisse me retourner." Meshigeh auf toit[1] ! *C'était bon de se sentir désirée ainsi. Finalement, j'ai accepté de rempiler quelques semaines, histoire de l'aider à me trouver une remplaçante. Je lui devais bien ça, non ? J'ai raccroché, puis j'ai appelé Sara Jane. À peine ai-je eu le temps de prononcer un mot qu'elle s'est mise à pleurer. De joie, apparemment. "Je le savais, bredouillait-elle entre deux sanglots, je l'avais deviné ! Je t'en-*

---

1. *« Vraiment fou. »*

vie, oh, comme je t'envie ! Nous continuerons à nous voir, n'est-ce pas ?" Je lui ai dit oui. Que répondre d'autre ? Quatre mois plus tard, elle a donné sa démission à son tour, et nous nous sommes aussitôt perdues de vue. Ainsi va la vie. Le cœur léger, je suis allée rejoindre Roy. C'était une matinée tranquille, les pelouses luisaient sous la rosée et des rossignols se chamaillaient dans les branchages. J'ai respiré l'odeur du printemps à pleins poumons. Ah, cette liberté ! Mes nausées revenaient, mais je les sentais à peine. Je songeais à la sève dans les arbres, aux fleurs qui s'épanouissent, aux animaux qui sortent de leur terrier. J'étais sur le point de pleurer, moi aussi. C'est alors que Roy m'a attrapée par la taille. Au même moment, Alan Turing est passé en trottant à petites foulées et nous a adressé un joli signe de la main. "Belle journée, n'est-ce pas ?" Oui, c'était une journée magnifique. »

En 1946, Leah reconnaît Alan Turing sur cette photo de journal. Il vient de terminer deuxième d'une course à Dorking, en Angleterre. Elle gardera l'article en souvenir de leur passage à Princeton.

1939-1945

NOUVEAUX REPÈRES

SHIRLEY MENDELSON NAÎT LE 28 SEPTEMBRE 1937. « Mazel tov ! *écrit David dans l'une de ces lettres enflammées à sa sœur, dont il a le secret. J'ai appris que tu avais quitté les studios. Une nouvelle vie commence, à n'en pas douter. Elle sera longue et fertile, si Dieu le veut.* »

L'aîné des Mendelson, pour sa part, ne demeure pas inactif. En juillet 1939, il achète à crédit un appartement dans l'Upper West Side, qui donne sur Broadway et la 88e Rue, non loin de Central Park. Les raisons de ce déménagement ? D'une part, les revenus dégagés par l'agence, située à deux pas, sont désormais largement suffisants pour lui permettre de changer de quartier. D'autre part, le deux-pièces d'Orchard Street, dans un secteur peu à peu vidé de ses habitants, est devenu beaucoup trop étroit pour un couple et deux adolescents.

Le nouvel appartement, au cinquième étage, comporte six pièces. Les chambres donnent sur une charmante cour intérieure. Côté rue, les fenêtres offrent une vue imprenable sur Broadway et son agitation frénétique. Plus que jamais, David se sent new-yorkais.

« *Partir, écrit-il dans son journal en janvier 1940, retourner en Californie comme m'y exhorte ma sœur ? La chose n'est tout simplement pas envisageable. J'ai besoin de l'agitation et des cris, besoin de la fumée et du ballet des taxis, besoin de lever les yeux et de constater, chaque fois, qu'une nouvelle tour a éclos dans le ciel. Le monde se réinvente chaque jour à New York. Ses rues sont des veines, ses avenues des artères, et le sang qu'on trouve ici est le plus vigoureux qu'on puisse imaginer.* »

Les jumeaux grandissent. Ce sont maintenant deux adolescents solides, sérieux dans leurs études, secrets dans leurs projets. En septembre 1938, après leur bar-mitzvah, ils ont intégré la Mesivtha Tifereth Jerusalem, l'une des plus prestigieuses *yechivot* de la ville. Ils étudient le Talmud avec assiduité. On peut, bien sûr, s'interroger sur l'obstination de David à prodiguer à ses fils un enseignement strictement religieux alors que lui-même semble de nouveau, depuis la mort de Carmen, en profond questionnement par rapport à sa foi.

« *L'appartement de Broadway était rempli de symboles juifs, raconte Ralph soixante ans plus tard, de signes d'appartenance. Il y avait une paire de bougeoirs de shabbat dans le salon, une coupe de havdalah, une horloge avec le cadran en hébreu et une vieille Torah dont notre père avait fait réparer les ornements. Tous ceux qui nous rendaient visite – des amis juifs en général – pensaient que notre père était pratiquant et vivait pleinement sa religion. Comparé à nous, en réalité, c'était un incroyant. Mais cette situation n'a pas perduré très longtemps. Avec la guerre en Europe et toutes les horreurs perpétrées par Hitler, notre père a peu à peu perçu la contradiction insupportable dans laquelle il se trouvait. Un changement s'est opéré en lui, une véritable métamorphose. Nous étions aux premières loges.* »

Que se passe-t-il donc dans la tête de David Mendelson au début de la Seconde Guerre mondiale ? Certes, ce n'est pas la première fois, loin s'en faut, qu'il s'interroge sur Adolf Hitler. Depuis le putsch manqué en 1923, son journal est une litanie sans fin de questionnements alarmés. « *L'homme monte en puissance, écrit-il par exemple en 1930. Hindenburg joue son jeu, et je sens monter des exhalaisons mauvaises.* » Le résultat des élections législatives de 1932, qui voit le Parti nazi s'élever vers les cimes, le laisse hébété. À la fin de cette même année, Hitler semble pourtant en perte de vitesse. « *La bête dort, écrit alors David. Mon Dieu, j'ai peine à croire que notre rencontre ait été réelle.* » Le 30 janvier 1933, nouveau retournement de situation : Hitler est nommé à la Chancellerie. « *Je sens la peur, poursuit l'aîné des Mendelson. Un parfum d'inéluctable.* » Les années suivantes marquent le durcissement du régime. Le 10 mai 1933, des milliers de « mauvais livres » sont brûlés. Au cours des six ans à venir, près de deux cent mille personnes seront internées, et neuf mille assassinées. Des centaines de milliers d'autres doivent fuir le pays.

David redoute la guerre. La haine de Hitler envers les Juifs n'est plus un secret pour personne. Le 2 janvier 1939, Hitler est élu « Homme de l'année 1938 » par le *Time Magazine*. « *L'ordre nouveau est l'autre nom de la mort* », écrit alors l'aîné des Mendelson. Et c'est avec un effroi incrédule qu'il accueille l'arrivée de la guerre.

24 août

On mobilise en France, partout en Europe on signe des accords, et j'entends déjà le bruit des bottes sur le pavé : nous y allons tout droit, ai-je dit ce matin à Walter, qui s'est contenté de sourire.

JOURNAL INTIME DE DAVID. 5 JUIN 1939. *Congrès des écrivains américains à New York hier. « Jamais au cours de l'Histoire, clame un réfugié du nom de Manfred George, un pays n'avait perdu d'un seul coup tous ses poètes, romanciers et essayistes. L'Allemagne a perdu en l'espace d'un an l'immense influence spirituelle que ses penseurs et auteurs fameux exerçaient à travers la terre toute entière. Cela a été comme une mort : le corps est resté là où il se trouvait, l'âme s'est disséminée de par le monde. »*

June 5, 1939
American writers' congress yesterday in New York. 'Never in the course of History', claimed a refugee named Manfred George, 'did a country lose in one go all its poets, novelists and essayists. Germany has, within a year, lost the immense spiritual influence its famous thinkers and authors exercised over the entire world. It is like a death: the body remains where it was while the soul is scattered worldwide'.

"All the News That's Fit to Print."

The New York Times.

EXTRA

NEW YORK, FRIDAY, SEPTEMBER 1, 1939.

THREE CENTS

GERMAN ARMY ATTACKS POLAND; CITIES BOMBED, PORT BLOCKADED; DANZIG IS ACCEPTED INTO REICH

BRITISH MOBILIZING

Navy Raised to Its Full Strength, Army and Air Reserves Called Up

PARLIAMENT IS CONVOKED

Bulletins on Europe's Conflict

HOSTILITIES BEGUN

Warsaw Reports German Offensive Moving on Three Objectives

ROOSEVELT WARNS NAVY

FREE CITY IS SEIZED

Forster Notifies Hitler of Order Putting Danzig Into the Reich

ACCEPTED BY CHANCELLOR

Hitler Acts Against Poland

HITLER GIVES WORD

In a Proclamation He Accuses Warsaw of Appeal to Arms

FOREIGNERS ARE WARNED

1er septembre 1939. L'Allemagne envahit la Pologne. C'est le début de la Seconde Guerre mondiale, et le *New York Times* fait sa « une ».

1er septembre

Les troupes allemandes attaquent la Pologne, ainsi que Hitler l'avait promis. Quel destin funeste Dieu nous réserve-t-il ?

2 septembre

Mobilisation générale au Royaume-Uni. Je suis anéanti. Les gens ici continuent à vivre comme si de rien n'était.

3 septembre

Expiration des ultimatums lancés à l'Allemagne. Cette fois, nous y sommes.

4 septembre

Cent douze morts hier sur un cargo anglais que les Allemands ont pris pour un navire de guerre. Allons-nous commencer à comprendre ce qui se passe ?

5 septembre

Incapable de travailler aujourd'hui. Assis à mon bureau, abasourdi, j'attends que l'univers s'effondre. Je repense au passé. Nos discussions

au café. Son air froid et buté. Sa volonté, comme un immense tremblement. Oh, je ne pressentais rien alors. Et lui ?

Je songe à mes fils. À mon neveu et à mes nièces. J'aurais dû les voir plus, et plus souvent. Je connais à peine la petite Shirley. Le monde entier entre en guerre. Quel siècle vivons-nous donc, quelle année ? La dernière ?

28 septembre

L'Allemagne et l'URSS se partagent la dépouille encore chaude de la Pologne. Et les nôtres attendent.

5 novembre

Notre contribution à l'horreur : nous vendons des armes à présent.

Difficile de savoir si, à cette époque, David souhaite l'entrée en guerre des États-Unis. Aucune page de son journal, en tout cas, ne le prouve. Pour un Américain, se désintéresser de ce qui se passe en Europe avant Pearl Harbor[1] n'est nullement un comportement anormal. En tant qu'ancien combattant, et même si son expérience a été brève, l'aîné des Mendelson est partagé entre une répulsion viscérale pour la guerre et une conscience lucide des horreurs perpétrées par Hitler. Très vite, les contradictions que suscitent en lui le conflit et ses conséquences culminent à un niveau insupportable.

En décembre 1939, David rend visite au rabbin Idelson de la synagogue d'Eldridge Street, qui a succédé en 1930 au

---

1. Le 7 décembre 1941 à Pearl Harbor (Hawaï), les Japonais endommagent 18 navires de guerre dont certains coulent, détruisent 187 avions et tuent 2 400 militaires américains – ce qui précipitera l'entrée en guerre des États-Unis.

Scène de la vie quotidienne dans le quartier d'Orchard Street à la fin des années trente. Malgré son déménagement, David aime revenir dans ce quartier (cliché de David Mendelson).

rabbin Yudelovitch. Ralph se souvient : « *Il allait presque tous les jours à la synagogue. Il prenait le métro. Nous étions très étonnés. Mon père nous était toujours apparu comme un homme rationnel et volontaire. Peut-être ne le connaissions-nous pas si bien que cela, en définitive. Nous ne savions pas exactement ce qu'il allait faire à Eldridge Street – il ne nous en parlait pas beaucoup – mais il était clair qu'il avait de grandes discussions avec le maître des lieux.* »

Le journal de l'intéressé, rédigé pour l'occasion sous forme de dialogues imaginaires, ne se contente pas de confirmer ces allégations : il apporte des indications précieuses quant à la teneur des propos échangés, et montre que David se débat dans les affres d'un véritable questionnement spirituel. Nous sommes alors au début de l'année 1940.

10 janvier

« On ne te voit jamais, déclare le rabbin Idelson en me prenant par le bras. À tes fils, tu as donné une éducation religieuse, comme si tu tenais absolument à te dédouaner d'une faute. Mais quelle faute, David Mendelson ? Te sens-tu coupable de la mort de leur mère ?

— C'est possible. J'avais cru prendre un nouveau départ. La disparition de Carmen m'a coupé dans mon élan.

— Je suppose que tu parles là d'un élan religieux.

— À dire vrai, je n'en sais rien.

— Tes fils se posent sans doute beaucoup de questions à ton sujet. Ce sont de bons garçons, intelligents. Tu ne devrais pas les tenir à l'écart.

— Je m'efforce de les protéger.

— Et ce faisant, tu les exposes aux pires turpitudes. Il faut vivre bien, nous enseigne le Talmud : c'est la meilleure des vengeances. On m'a dit que tu avais pris femme, David, est-ce vrai ?

— Je ne suis pas encore marié.

— Qu'attends-tu donc ? "Mieux vaut parler avec une femme et penser à Dieu que de parler à Dieu et penser à une femme", souviens-toi de ce proverbe. »

7 mars

« Hitler : je ne peux m'empêcher de songer à Hitler, je suis obsédé par lui. Dans mes rêves, je lui parle, je le soutiens, nous sommes amis. Il est Adolf, le jeune idéaliste passionné d'architecture, et non plus Hitler, le dictateur aux desseins fous. Dans mes rêves, je sauve des vies par milliers.

— Seul le présent est responsable du futur. Et tu n'es pas le présent, David. Tu n'es qu'un homme, un homme de chair et de sang qui a croisé la route du Mal et s'est sagement détourné. Occupe-toi de ta vie. Reste en accord avec toi-même.

— Mais comment ?

— Les nôtres souffrent, horriblement : ceux qui sont restés en Europe. Chaque jour apporte son lot de révélations et d'atrocités. Sais-tu ce qu'on raconte ? J'avais des amis à Lodz, avec lesquels je n'ai jamais cessé de correspondre. Aujourd'hui, ils sont morts, et leurs enfants, leurs femmes, leurs parents ont sans doute été tués aussi, peut-être bien sous leurs yeux. Quelle force recelons-nous qui puisse susciter une telle haine ? Répondre à cette question ne nous apporterait rien. Sais-tu ce que je crois, David Mendelson ? Je crois que ton âme juive se réveille malgré toi à l'annonce des malheurs qui accablent notre peuple. Quand tu es revenu du Mexique, quelque chose a changé en toi. Tu ne savais pas ce que c'était. Tu aspirais à l'absolu mais l'absolu se refusait à ton âme. Il faut s'équiper pour entreprendre un long voyage.

— S'équiper ?

— La religion ne te donne ni l'élan, ni la carte : la religion est un outil. Vraiment, je te l'affirme, tu devrais venir plus souvent étudier la Torah, parler avec les gens. »

15 mai

« Je n'ai rien d'autre à offrir que du sang, du travail, des larmes et de la sueur. » Winston Churchill.

23 mai

« Ton père s'est contenté de suivre une voie que d'autres avaient tracée pour lui, David. Toi, tu as creusé ton propre sillon. »

Les vagues

L'ÉTÉ 1940 ARRIVE. Les malheurs continuent de s'abattre sur le monde mais David maintient le cap. Il faut dire que sa vie professionnelle est en plein essor. L'agence In Flames fonctionne bien. Dès le mois de juillet, elle emploie pas moins de seize photographes, lesquels, selon les préceptes édictés par son dirigeant, travaillent invariablement par deux.

Helena reste en poste au *New York Times* mais elle a pris du galon : elle est maintenant secrétaire de direction, et son salaire a été quasi doublé. Elle demeurera au journal jusqu'à sa retraite.

Les jumeaux se portent bien. Âgés de quinze ans, ce sont désormais de grands et solides gaillards. Leurs années d'études les ont dotés de vastes connaissances religieuses ; leur père s'est chargé de la culture générale. Tous deux sont de brillants élèves, appliqués et consciencieux. Pour le reste, on ne pourrait imaginer deux personnalités plus dissemblables.

Walter est un garçon sombre, mélancolique, volontiers renfermé. Il n'a que peu d'amis et semble habité par une insondable tristesse qui, selon son père, remonte à sa petite enfance. Athlétique, il pratique la natation et la course à pied. Sa passion pour la musique klezmer ne l'a pas quitté : il apprend la flûte, l'accordéon, se familiarise avec le cymbalum[1]. À l'époque, on ne lui connaît pas de petite amie (il faut dire qu'il reste extrêmement discret en matière de vie sentimentale). C'est un garçon bagarreur, que sa fierté rend prompt au coup de poing. Un jeune homme excédé qui, dans une rame de métro, le traite de youpin finit sa journée à l'hôpital, où il reçoit sept points de suture ; David devra intriguer et faire jouer ses relations pour éviter le procès.

De Ralph, on dit au contraire que c'est une âme lumineuse. Le cœur sur la main, il est sans cesse porté vers les autres. Dès l'âge de six ans, à l'image de sa grand-mère, il rédige des poèmes en vers libres glorifiant, dans un style à la Whitman, la beauté des grands espaces (David le poussera à les lui envoyer, ce qu'il ne fera pas). Ralph aime la nature, les animaux (au fil des années, il ramènera plusieurs chats à la maison – Edgar, Ambrose, Nathaniel – et un perroquet, le Général Cluster, qui décédera malheureusement en 1943 d'une mystérieuse maladie

---

1. Instrument de la famille des cithares, dont on frappe les cordes avec des petits maillets.

Oilfields
And desert wells : the White Man
Is expected no more
Has never been so, save perhaps
In the ancient times of dreams
And endless voyages.

POÈME DE RALPH. *Des champs de pétrole / Et des puits de désert : l'Homme Blanc / N'est plus attendu / Ne l'a jamais été, peut-être / Qu'aux temps anciens du rêve / Et des voyages sans fin.*

digestive) et, bientôt, se passionne pour les sports de glisse, ski et surf en tête. En 1940, il se prend d'une profonde affection pour sa cousine Doris, que le temps ne démentira jamais : aujourd'hui encore, il parle d'elle comme de sa « confidente et amie ».

« *En somme, note David cette même année, les deux facettes de ma personnalité se croisent, se jaugent et se frictionnent sans cesse sous mes yeux.* »

Les vacances d'été marquent un tournant dans les relations entre les trois cousins. Roy Langson, qui termine l'écriture d'un important manuel d'analyse combinatoire, a acheté une sorte de chalet à Big Sur, en Californie, au bord de la mer. Avec sa femme et ses trois enfants, il compte y passer le mois de juillet et une bonne partie du mois d'août. Pris d'un élan de générosité, il invite également toute la famille de Leah – sa mère, son frère, sa future belle-sœur et les deux jumeaux – à venir les retrouver. Retenu à New York par son agence, David est forcé de décliner l'invitation. En revanche, il insiste pour que les garçons rejoignent leur tante. « *Au vrai, explique Ralph, il était sans doute ravi de se débarrasser un peu de nous. Mon père n'a jamais apprécié les vacances. Que je sache, il n'en a jamais pris. Helena est restée sur la côte est, elle aussi. Il lui était impossible de s'absenter du journal pendant plus de deux semaines, et elle n'aimait pas beaucoup la Californie : pour elle, sans doute inconsciemment, l'endroit restait associé aux malheurs passés de son homme.* »

Les jumeaux traversent donc le pays en train, au début du mois de juillet. À Los Angeles, ils sont accueillis par Leah, qui tient la petite Shirley dans ses bras. « *Je garde un souvenir très vif de notre arrivée, poursuit Ralph. Un soleil de plomb et le sourire de notre tante, radieuse dans sa robe d'été. Quand nous sommes descendus du train, elle a reculé d'un pas. Nous ne l'avions pas vue depuis plus de trois ans et sa venue avec Roy avant le départ à Princeton. Elle n'arrivait pas à croire que nous ayons tant grandi. Elle riait tout le temps. "Nous allons passer un été sensationnel", a-t-elle déclaré en nous conduisant vers les taxis. Et c'est exactement ce que nous avons fait.* »

De fait, cette parenthèse enchantée va rester, dans la mémoire des jumeaux, comme un vrai moment clé – celui des premiers tourments amoureux et des prises de conscience. Tout naturellement, c'est vers Ralph que nous nous sommes tournés pour essayer d'en apprendre plus. (L'interview qui suit a été réalisée en 1997.)

Ralph, une première question qui fâche : j'ai bien ma petite idée, mais pourquoi votre frère refuse-t-il systématiquement de répondre à mes sollicitations ?
Je crois que cela l'ennuie. Rien à voir avec le projet – il ne désapprouve pas spécialement l'idée d'un livre, mais parler de lui, des autres... Ce n'est pas son truc, voilà. Il était déjà comme ça à quinze ans, ce n'est pas à soixante-douze qu'il va changer. (Sourire.)

Je voulais évoquer vos premières vacances d'été en Californie. J'ai cru comprendre que vous en aviez gardé des souvenirs assez vifs.
Plus que ça. Je ne garantis pas l'authenticité des faits mais j'ai une mémoire très visuelle. (Il rit.) *Oh, vous allez me parler de cette fille...*

(Rires.) **Gagné ! Dans son journal, votre père expliquait qu'il vous avait ramassé à la petite cuillère.**
Bah, il exagérait un peu. Non, c'était l'aînée de nos voisins —Amanda. Elle avait dix-huit ans, j'en avais quinze, et nous étions tout le contraire l'un de l'autre. Elle : menue, blonde, de longs cheveux lisses souvent ramenés en chignon, des robes blanches, des lunettes de soleil, une vraie starlette, et elle écoutait de la musique classique. Moi : trop grand, limite dégingandé, brun, bouclé, et j'écoutais déjà du jazz. Notre amour était impossible ! (Il éclate de rire.)

Mais elle vous a brisé le cœur.
Bien sûr. Il n'y a rien de plus facile que de briser le cœur d'un garçon de quinze ans. Je ne connaissais rien à la vie. Nous nous

A letter from Ralph, that Helena read me aloud. 'My heart is fractured' my son declared among other complaints. Evidently, a young scatterbrain is mocking him with all the carelessness and cruelty her age is capable of.

JOURNAL INTIME DE DAVID. *Lettre de Ralph, que Helena me lit à voix haute. « Mon cœur est fracturé », annonce mon fils entre autres jérémiades. Manifestement, une péronnelle se rit de lui avec toute l'insouciance et la cruauté dont est capable cet âge.*

sommes promenés dans les collines, et elle m'a dit qu'elle avait un petit ami à l'UCLA[1] *et qu'ils allaient se marier.*

C'est ce qu'ils ont fait ?
Aucune idée. D'après Doris, elle n'est pas revenue les années suivantes. Moi non plus.

Parlez-nous du chalet. J'ai cherché sa trace dans la région, mais je n'ai jamais réussi à le retrouver.
Oui, il a dû être détruit. C'était une construction assez rudimentaire. Je veux dire, il y avait tout le confort souhaité pour l'époque, mais ma tante l'a revendu après la mort de Roy, et il me semble que les nouveaux propriétaires étaient surtout intéressés par le terrain. C'était une maison tout en bois : quatre chambres plus une pièce commune. En général, je dormais avec mon frère. Doris avait sa chambre à elle, et Alfred aussi.

---

1. *Université de Californie à Los Angeles* (University of California, Los Angeles), *dont le campus a été inauguré en 1929.*

La petite Shirley avait été installée avec ses parents. Nous nous trouvions au milieu de la forêt, près d'une colline qui donnait sur l'océan. C'est un endroit incroyable...

Oui, je connais un peu. Cette lumière, notamment...
Incomparable. Des paillettes d'or sur la mer, des falaises déchiquetées, des brumes, le vent dans les arbres. Tout était sauvage. Et nous vivions dans un isolement quasi complet.

La Highway One venait d'être achevée, n'est-ce pas ?
Exact, et dans des conditions dantesques. Mais sa construction avait tout changé : on pouvait désormais venir de Los Angeles en deux jours. Et c'est bien pour ça que Roy avait choisi cette région. Sauf qu'en cette période de guerre il n'y avait pas foule. Après non plus, quand j'y repense. Je crois me souvenir qu'Orson Welles et Rita Hayworth ont acheté quelque chose dans le coin en 1944, pour échapper à Hollywood. Leah prétend qu'elle ne les a jamais vus.

LA CÔTE DÉCHIQUETÉE AUX ENVIRONS DE BIG SUR
(CLICHÉ DE RALPH MENDELSON – 1940).

J'ai lu ça, en effet. La maison a été revendue en 1947, peu de temps avant que leur divorce soit prononcé.
Bon sang, j'aurais aimé rencontrer Rita dans les collines. Encore une occasion manquée... (Rires.)

Combien de temps avez-vous passé à Big Sur ?
Presque deux mois.

Et comment avez-vous occupé votre temps ? Pouvez-vous essayer de nous décrire une journée type ?
Nous nous levions à l'aube. Aucun de nous ne voulait manquer le spectacle de l'aurore. Walter allait courir. Moi, je restais aux alentours avec Doris. Nous avions de longues discussions. Ce qui l'intéressait, à l'époque, c'était ce qui se passait en Palestine. Après la Grande Révolte arabe et la publication du Troisième Livre blanc en mai 1939, les tensions étaient devenues très vives. Elle suivait ça de près. Elle gardait une photo de Ben Gourion[1] dans son portefeuille.

Pas vous ?
Non. Je me considérais comme américain avant tout, et l'idée même d'une partition de la Palestine entre Juifs et Arabes ne me paraissait pas une nécessité absolue. Ma cousine pensait autrement.

Diriez-vous qu'elle était sioniste ?
Sur un plan idéologique, sans aucun doute. Elle n'a jamais assisté à un congrès de l'OSM[2], mais...

---

1. Homme politique et militant sioniste, David Ben Gourion (1886-1973) fut le premier chef du gouvernement de l'État d'Israël entre 1948 et 1953, puis entre 1955 et 1963.
2. Organisation sioniste mondiale, créée en 1897, prônant et préparant l'existence d'un État juif en Palestine.

Elle aurait bien aimé…
(Rires.) *Elle était très volontaire. Très persuasive.*

Et votre frère ?
Walter ? Vous me demandez si Walter était sioniste ?

Non, je sais qu'il ne l'était pas. Je m'intéressais à ses relations avec Doris.
Eh bien, elle l'intimidait, comme toutes les jeunes filles. Mon frère a toujours été un grand solitaire, je ne vous apprends rien. Leurs relations étaient empreintes de respect. Elle était impressionnée par sa volonté et son mutisme. Elle ne cessait de me répéter qu'il deviendrait quelqu'un d'important.

Et vous ?
Moi ?

Alliez-vous devenir quelqu'un d'important à ses yeux ?
(Il sourit.) *Elle ne m'a jamais rien dit à ce sujet.*

Bien. Donc, vous discutiez avec elle. Et vous faisiez du surf également.
*À l'époque, j'*essayais *de faire du surf.* (Rires.) *Il y avait des spots magnifiques sur la côte. Roy m'avait acheté une planche et il me conduisait volontiers en voiture.*

Vous ne partiez que tous les deux ?
Oui. Il emportait des dossiers, il pouvait travailler n'importe où. Il s'installait sur la plage, sur un rocher, avec ses cahiers, et il écrivait.

Pendant ce temps, j'essayais de tenir debout sur une planche.

C'est une passion qui ne vous a pas quitté...
Je suis devenu assez compétent à partir de 1948, disons. Le temps que mon genou se remette[1]*...*

Et que votre chagrin d'amour se dissipe.
(Pensif.) *Vous avez raison. En fait, je voulais surtout impressionner Amanda avec mes histoires de surf.* (Il sourit.) *Non, non, c'était une vraie passion – ça l'a été dès le début : la griserie, la liberté, la sensation de ne faire qu'un avec la vague, de la dompter, de se soumettre à elle... Il m'est difficile de mettre des mots là-dessus. Aujourd'hui, j'aurais du mal à monter sur une planche.* (Nous rions, son regard se teinte soudain d'amertume.) *En vérité, il n'y a pas si longtemps que j'ai arrêté. J'ai surfé encore un peu après mes soixante ans.*

Revenons à ces vacances... Votre tante était là tout le temps ?
Tout le temps, oui. Elle ne travaillait plus à l'époque, elle avait laissé tomber les studios, comme vous le savez. Elle se contentait de suivre Roy, de s'occuper des enfants. Ne lui racontez pas que j'ai dit ça, hein ? Elle « se contentait »... (Rires.) *Je crois qu'elle était vraiment très heureuse à cette époque.*

Quelles étaient vos relations avec votre grand-mère ?
Bonnes, selon moi. Mais pour être honnête, je la connaissais encore fort mal. Notre père parlait d'elle avec la plus profonde déférence, mais en dehors de ça... Elle n'était jamais venue nous

---

1. *Voir page 138.*

voir à New York et, pendant les vacances d'été, elle restait à Beverly Hills où une dame s'occupait d'elle. Nous lui écrivions à chaque fête juive.

Penchons-nous maintenant sur Shirley et Alfred. Des premiers souvenirs ?
Shirley était une petite fille très gentille, très timide, et qui s'émerveillait de tout. Certains matins, je partais avec elle en forêt, je lui racontais des histoires, je lui montrais les oiseaux, les insectes. Alfred, lui, était un bagarreur. Je dois reconnaître qu'il m'intéressait un peu moins à l'époque. C'était un enfant capricieux : à Los Angeles, en tant que seul mâle de la tribu, il était le préféré de Batsheva, et je crois que ça n'arrangeait pas son caractère.

Au sujet de votre frère : on sait que vous avez été en bisbille avec lui pendant des années. Diriez-vous que vos problèmes ont commencé à ce moment-là ?
(Il réfléchit.) *Peut-être. C'est compliqué. Nous n'avons jamais été très liés durant notre enfance. Nous étions trop différents, et il résistait à toutes mes tentatives d'approche. J'ai dû finir par me lasser. Je m'étais fait de nombreux amis à la* yechiva *; je pouvais me passer de lui. Mais d'une certaine façon, oui, c'est à Big Sur que nous avons pris conscience de ce qui nous séparait.*

Vous pouvez développer ?
Nous parlions de la situation internationale, notre éternel sujet de discorde. Il y avait deux camps au chalet : moi d'un côté, Doris et Walter de l'autre. Eux étaient pour l'entrée en

guerre des États-Unis. C'était une position relativement peu commune à l'époque. Doris la soutenait pour des raisons qui avaient trait à la condition des Juifs en Europe ; mon frère simplement en tant qu'Américain. Mon oncle et ma tante, eux, ne se prononçaient pas, mais je crois qu'ils penchaient de mon côté, du moins au début : la guerre, ils en avaient soupé.

Donc, il y a eu des disputes entre votre frère et vous.
Plus que ça ! Un jour, Amanda venait de me parler de son fameux petit ami ; j'étais donc de fort méchante humeur. Après le déjeuner, nous avons gravi la colline avec Doris et Walter, et mon frère a commencé à raconter des bêtises : comme quoi Roosevelt était un pleutre et la plupart des Américains aussi, comme quoi tous ceux qui refusaient l'entrée en guerre des États-Unis étaient des complices plus ou moins consentants de Adolf Hitler. J'ai pris cette saillie pour moi, vous pensez bien. Nous en sommes venus aux mains, et il a eu le dessus : il était plus entraîné. C'est Doris qui nous a séparés. C'était aux environs du 15 août, je pense. Après cela, Walter et moi avons cessé de nous parler jusqu'à la fin des vacances.

Vous êtes rentrés à New York sans vous réconcilier ?
Eh oui.

Et ensuite ? Qui a fait le premier pas ?
Si vous connaissiez un peu mieux mon frère, vous ne poseriez même pas la question.

"All the News That's Fit to Print."

The New York Times.

LATE CITY EDITION

NEW YORK, MONDAY, DECEMBER 8, 1941.

THREE CENTS

JAPAN WARS ON U. S. AND BRITAIN;
MAKES SUDDEN ATTACK ON HAWAII;
HEAVY FIGHTING AT SEA REPORTED

CONGRESS DECIDED

Roosevelt Will Address It Today and Find It Ready to Vote War

CONFERENCE IS HELD

TOKYO ACTS FIRST

Declaration Follows Air and Sea Attacks on U. S. and Britain

TOGO CALLS ENVOYS

GUAM BOMBED; ARMY SHIP IS SUNK

U. S. Fliers Head North From Manila—Battleship Oklahoma Set Afire by Torpedo Planes at Honolulu

104 SOLDIERS KILLED AT FIELD IN HAWAII

AU LENDEMAIN DE L'ATTAQUE DES JAPONAIS SUR PEARL HARBOR, LE *NEW YORK TIMES* ANNONCE QUE LE CONGRÈS « EST PRÊT À VOTER LA GUERRE. »

Le conflit s'éternise, et les États-Unis refusent toujours d'y prendre part – jusqu'à un certain 7 décembre 1941. Au lendemain de l'attaque des Japonais sur la base de Pearl Harbor, le président Roosevelt déclare la guerre au Japon. L'engrenage fatal est en marche : la Seconde Guerre mondiale vient de prendre une nouvelle dimension.

À la date du 8 décembre (un lundi), le journal de David porte cette mention unique : « *C'est arrivé.* »

C'est à ce moment, on le suppose, que Walter prend la résolution de servir son pays. Trop jeune cependant pour entrer dans l'armée, il est contraint de ronger son frein. La délivrance arrive en avril 1942, au moment de ses dix-sept ans. Quelques mois plus tôt, le jeune homme a déjà fait part de ses projets à son père et Helena. David n'a rien tenté pour le dissuader : il le connaît trop bien.

20 avril

La mort dans l'âme, et avec quelques jours de retard, nous avons fini par fêter l'anniversaire des jumeaux. Moi qui savais ce que signifiait

cette date, je faisais tout pour la repousser. Puérile bravade : Walter va partir, il le désire plus que tout, et sa volonté est inflexible. Tout juste puis-je espérer qu'ils ne l'enverront pas en Europe.

28 avril

Walter est parti.

30 avril

Reçu ce jour une lettre de Walter affranchie à Fort Meade, dans le Maryland. A fait, prétend-il, jouer des appuis personnels (?) pour s'enrôler dans le 116e régiment de la 29e division d'infanterie. L'appartement est très vide et nous errons tous trois comme des âmes en peine, pénétrés d'un vague sentiment de honte. La peur me donne des nausées.

8 juin

Victoire des nôtres à Midway, écrasante ! Les Japonais ont perdu quatre de leurs six porte-avions. Je me suis surpris à me réjouir comme tout le monde, mais cela n'a pas duré. Chaque jour, entrailles nouées, je descends à la boîte aux lettres, souhaitant et redoutant un mot de mon fils.

11 juin

Reçu aujourd'hui une lettre de Walter. Établi à Staunton, Virginie. Il dit qu'il va bien, que la nourriture est bonne, qu'il joue de l'accordéon et qu'il s'est fait des amis. Ton froid, impersonnel. Il est déjà dans la guerre.

6 juillet

Tout va de mal en pis. Le 3, les Japonais l'emportent à Guadalcanal. Au même moment, Sébastopol tombe aux mains des Allemands.

Ralph m'a annoncé qu'il allait partir étudier l'histoire à l'UCLA.

I'll say it again: don't worry about a thing. Everything's going fine, we're well looked after and most of us are really in a hurry to leave. When and where? The question so far remains unanswered.

LETTRE DE WALTER. *Je vous le répète : ne vous inquiétez de rien. Tout se passe pour le mieux, nous sommes très bien traités, et la plupart d'entre nous avons vraiment hâte de partir. Où, quand ? La question demeure pour l'heure en suspens.*

Tout est en ordre ; il habitera chez sa tante, non loin du campus. Grande joie, mais appréhension aussi : je vais vivre seul avec Helena désormais.

26 juillet

Appel de Leah : Ralph a eu un accident de moto aujourd'hui. Que faisait-il à moto ? Rotule en miettes, tibia et péroné brisés. Dieu merci, ses jours ne sont pas en danger. Walter prévenu.

28 juillet

Altercation entre Walter et Ralph. C'est ce dernier qui me l'apprend : « Je ne veux plus jamais voir ce salopard. » Départ pour Los Angeles.

30 juillet

Longue discussion avec Ralph, puis avec son frère. Ces deux imbéciles ont accepté de se serrer la main. C'est tout ce que j'obtiendrai d'eux pour l'instant. Juste avant de partir, Walter m'informe que la

29e division va être envoyée en Angleterre. Quand ? Il ne sait pas au juste. Je suis catastrophé.

Sur ces dernières entrées, quelques précisions s'imposent. L'accident tout d'abord : le 26 juillet à Santa Monica, Ralph pilote la Knucklehead Harley-Davidson que son oncle Roy lui a offerte quelques jours auparavant (il est probable que David n'ait jamais été mis au courant) pour fêter son entrée à l'université, lorsqu'un camion débouche brusquement sur la droite. Forcé de faire un écart, le jeune homme ne peut éviter la chute. La moto, qui glisse sur plusieurs dizaines de mètres, est totalement hors d'usage. Ralph est transporté d'urgence à l'hôpital – ironiquement, le centre médical de l'UCLA –, où on lui diagnostique une double fracture tibia-péroné, ainsi qu'une fracture de la rotule et une luxation de la hanche. Opéré dès le lendemain, il reste trois semaines à l'hôpital, durant lesquelles il reçoit notamment la visite de son frère, alors en permission, et celle de son père.

L'altercation à laquelle David fait allusion est causée, d'après Ralph (je n'ai jamais pu obtenir la version de Walter), par une remarque ironique de son frère sur le fait que son cadet serait très probablement réformé et n'aurait ainsi jamais à combattre pour son pays. « *Il se tenait debout près de la fenêtre, explique Ralph, et il a dit ces mots sans se retourner, quelque chose comme "Si tous les Américains étaient comme toi, nous aurions déjà perdu la guerre". J'ai pris la première chose qui me tombait sous la main – un crachoir en fer-blanc – et je l'ai lancée sur lui. Il s'est retourné, fou de rage, et il s'est rué sur moi. Ses mains se sont refermées autour de mon cou. Il hurlait des horreurs ; j'ai préféré oublier. J'ai crié aussi, à ce qu'on m'a dit. Une infirmière est arrivée au pas de course et nous a séparés. Elle a demandé à mon frère s'il avait perdu la raison, et mon frère a ricané. Il m'a montré du doigt. "Vous devriez poser la question à ce tire-au-flanc !" J'étais estomaqué. J'ai appelé mon père. Tout de suite, je lui ai expliqué ce qui s'était passé. Manifestement –je précise, parce que je ne m'en souviens plus –, j'ai déclaré que je ne voulais plus jamais voir Walter. Mon père était catastrophé, comme vous pouvez l'imaginer. Il est venu, et il a fait tout son possible pour que nous nous réconciliions. Finalement, nous nous sommes serré la main, à contrecœur.* »

Walter regagne la Virginie après s'être entretenu brièvement avec son père. Sans ménagement, il lui annonce son départ pour l'Angleterre. « *David était effondré, raconte Leah. Il a proposé à son fils de quitter l'armée et de travailler pour lui à l'agence. C'était une tentative désespérée : Walter ne s'intéressait pas à la photographie, et il lui était impossible de faire machine arrière, quand bien même il l'aurait souhaité. Quand il est rentré chez nous ce soir-là, mon frère s'est mis directement au lit et il fallut batailler ferme pour dissuader notre mère d'appeler un docteur.* »

Le 5 octobre 1942, la 29e division d'infanterie de l'armée américaine quitte les États-Unis pour l'Angleterre, où elle va recevoir un entraînement intensif en vue du débarquement de juin 1944. Ni David ni aucun autre membre de la famille ne verra le jeune Mendelson avant son départ.

L'échappée belle

Janvier 1944. Le monde est un brasier. Il y a tout juste un an, Hitler a proclamé la « guerre totale ». Mais, déjà, le succès des Alliés se dessine. Dans la pénombre, les futurs vainqueurs se partagent l'Europe.

Batsheva Mendelson a plus de soixante-dix ans. Ses années américaines, dans l'ensemble, se sont révélées tranquilles et mélancoliques. Entourée de ses petits-enfants, soutenue par sa fille, elle s'enfonce doucement dans les marais de la vieillesse. « *Jusqu'alors, raconte Leah, notre mère n'avait jamais eu de véritables soucis de santé. Bien sûr, elle se plaignait en permanence : mal au ventre, mal à la tête* – a klog iz mir[1] *! Des amis m'avaient parlé de possibles troubles*

1. « *Pauvre de moi !* »

psychologiques. J'ai demandé conseil à un ami praticien. Il l'a examinée une demi-heure et m'a envoyé ce mot terrible : "Votre mère se sait seule." »

Un matin d'hiver, dans sa chambre de Beverly Hills, la vieille femme se réveille en hurlant. Leah est absente ; la nurse des enfants se précipite, suivie par Doris et Roy en robe de chambre. Sa petite-fille décrit la scène : « *Elle était tremblante, en nage. Elle avait remonté le drap contre son menton. Elle montrait un coin de la pièce. Nous lui connaissions tous un don pour la mise en scène mais, cette fois, personne n'a songé à se moquer d'elle. Elle nous a expliqué qu'elle avait vu son mari. Elle nous a expliqué qu'il lui avait parlé mais qu'elle n'avait pas réussi à l'entendre. Qu'est-ce que vous voulez répondre à ça ? Roy est parti lui faire une tisane et je suis restée à ses côtés, à lui tenir la main. Elle a plongé son regard dans le mien. "Je suis malade", a-t-elle murmuré. Une larme a coulé sur sa joue, une seule. Je l'ai essuyée d'un coin de mouchoir. "Tu es une bonne petite, a-t-elle ajouté avec un sourire pâle. Et tu me comprends, je sais que tu me comprends. Tu m'aideras, n'est-ce pas ?" Sur le coup, naturellement, je n'ai pas du tout compris à quoi elle faisait allusion.* »

L'explication ne tarde pas. Le surlendemain, à table, la vieille femme pose sa fourchette à côté de son assiette à peine entamée. Cette fois, c'est Leah qui raconte : « *Elle était livide, ses yeux brillaient, on aurait dit qu'elle avait de la fièvre. "Je vais partir", a-t-elle lâché. Mon cœur a fait un bond. Jamais je ne lui avais connu un air de telle gravité. "Partir où ?" a demandé Roy d'une voix très douce. Ils s'aimaient beaucoup tous les deux. Elle lui a tapoté la main. "En Europe, a-t-elle répondu. À Vienne, plus exactement : parce que, voyez-vous, mon mari*

February 2, 1944
What on earth has gotten into Mother? Leah
tells me she wants to leave for Europe, to go
back to Vienna or wherever, on some impulse
I just can't imagine. There's something about
a ghost and moral duty. 'Call a doctor'
I advised my sister. Needless to say it's
enough to awaken my ulcer.

JOURNAL INTIME DE DAVID. 2 FÉVRIER 1944. *Quelle mouche a piqué notre mère ? Leah m'apprend qu'elle veut partir en Europe, à Vienne, je ne sais où, mue par je ne sais quelle impulsion. Il est question de fantôme et d'obligation morale. « Appelle un médecin », ai-je conseillé à ma sœur. C'est peu de dire que mon ulcère se réveille.*

m'appelle." Un silence pesant a accueilli ces paroles. Nous ne savions absolument pas sur quel pied danser. Ma mère a repris sa fourchette comme si de rien n'était et s'est remise à manger. »

Le lendemain et les deux semaines suivantes se passent sans heurt. Batsheva ne fait plus allusion à ses envies de départ. Leah et les siens concluent à une lubie passagère. La vie, pour un temps, parait reprendre son cours.

Et puis, un matin de février, Doris surprend sa grand-mère en train de préparer sa valise. « *Elle s'est redressée, elle a glissé la valise dans son armoire puis elle m'a adressé un clin d'œil, comme si tout cela faisait partie d'une vaste plaisanterie. Je me suis laissée tomber sur son lit. "Alors tu es sérieuse ?" Elle s'est assise à mes côtés. "Je suis plus sérieuse que la vie elle-même, ma chérie. Je dois partir, je dois savoir ce qui m'attend au bout. Certains diront que je suis folle. J'y suis préparée." J'ai posé ma tête sur son épaule. "Tu es folle." Elle a effleuré mes cheveux. Bon, ce n'était peut-être pas aussi parfait que ça : honnêtement, je ne sais plus. Mais il régnait une sorte de douce harmonie entre nous, nous n'avions pas besoin de nous parler beaucoup. Et ce matin-là, j'ai su sans le moindre doute qu'elle était sérieuse. Elle allait partir, c'était inévitable.* »

Les récits conjugués de Ralph, Doris, Leah, et le carnet de David nous permettent de mieux comprendre ce qui se passe ensuite. Le soir même, Batsheva prend Ralph à part. « *Elle m'a demandé si j'étais disposé à la conduire sur la côte est, explique l'intéressé. Elle ne voulait pas y aller en train. "Isaac n'aimait pas le train, point final." Le calme dont elle faisait preuve était pour le moins inquiétant. Je lui ai promis de réfléchir ; dès qu'elle a tourné le dos, j'ai tout raconté à ma tante. Leah a ensuite parlé à Roy, et Roy a proposé la tenue d'un conseil de famille, ce qui était une façon polie de me demander de partager leurs problèmes.* »

Le conseil de famille se tient dès le lendemain soir. Batsheva Mendelson, qui s'est mise sur son trente et un, répète sa volonté de partir et décrète que personne ne l'en empêchera. « *Nous lui avons expliqué que c'était du suicide, raconte Doris. Et c'était vrai. Nous étions en 1944. Les rumeurs les plus folles couraient parmi mes amis sionistes de l'université*[1] *sur le sort réservé aux Juifs d'Europe. Ma grand-mère a haussé les épaules. "Vous croyez que j'ai vécu jusqu'ici pour me jeter dans la gueule du loup ?" Ma mère a fermé les yeux. "Pourquoi veux-tu partir ? Réponds seulement à cette question." Soupir de ma grand-mère. "J'ai reçu un appel et je dois m'y soumettre. L'Éternel me protégera." La conversation a duré plus d'une heure. À un moment, Roy s'est éclipsé à la cuisine avec ma mère et mon*

---

1. En 1943, Doris entre elle aussi à l'UCLA, pour étudier, entre autre, l'histoire de l'art.

cousin. Quand ils sont revenus, ma mère a posé sa main sur celle de ma grand-mère. "Très bien, a-t-elle déclaré. Pars, si tu y tiens. Nous ne pouvons pas te forcer à rester avec tes petits-enfants." C'était une manœuvre d'autant plus vicieuse qu'elle n'était probablement pas préméditée. Ma grand-mère a chancelé, mais elle a tenu bon. Elle a remercié sa fille et s'est levée pour aller faire chauffer de l'eau. »

Roy prend sa femme par l'épaule, un sourire rassurant aux lèvres. L'idée est la suivante : Batsheva ne va pas bien. Pas question, évidemment, de la laisser partir pour l'Europe – elle n'en serait, de toute façon, pas capable. Mais quel mal pourrait lui faire un voyage sur la côte est ? Ralph est d'accord pour conduire sa grand-mère en voiture. Ce serait pour elle l'occasion de revoir son fils – un fils avec lequel ses relations, ces derniers temps, ont été beaucoup trop espacées (elle l'a vu à la mort de Carmen, pour la naissance d'Alfred et de Shirley, et au moment de l'accident de Ralph) et qui, peut-être, saura lui faire entendre raison.

L'affaire est donc conclue. Trois jours plus tard, au volant d'un coupé Ford noir acheté à crédit quelques semaines auparavant, Ralph attend sa grand-mère, qui, valise à la main, fait ses adieux sur le perron. « *Pour nous, explique Leah, elle ne partait que deux semaines, et tout cela n'était qu'un caprice de vieille dame. Doris n'était pas de cet avis. J'aurais dû l'écouter.* »

Le voyage vers la côte est dure six jours. Ralph et sa grand-mère s'arrêtent dans des motels, dont Batsheva tient fermement à payer les notes. Ils traversent les vastes étendues de l'Ouest – Arizona, Colorado, Kansas – puis les plaines balayées par le vent.

« Pour elle comme pour moi, se souvient le petit-fils, c'était une sorte de voyage initiatique, une épopée fantasque et singulière. Durant la journée, nous ne prononcions pas un mot. Nous filions à travers le désert, saisis de stupeur. À la nuit tombée, nous faisions halte dans des chambres miteuses. Ma grand-mère me parlait d'Isaac, de leur vie à Vienne, des rencontres qu'ils avaient faites – les peintres, les kabbalistes, les artistes secrets. Au cœur de la nuit, nous sortions sur le balcon pour regarder les étoiles et, parfois, des coyotes ululaient vers la lune. "Si j'avais pensé un jour me retrouver ici avec toi... chuchotait ma grand-mère à voix basse. J'aurais pu vivre à Moscou. J'aurais pu être morte. Je le serais sans doute si ton grand-père était resté en vie et que nous n'avions pas quitté Vienne."

Le dernier jour, son caractère a commencé à s'assombrir. J'avais l'intention de la conduire directement chez mon père, qui avait été prévenu. Mais elle a dû flairer la manœuvre. Elle voulait aller à Atlantic City, "prendre encore un peu de bon temps" comme elle disait. Je n'ai pas eu le cœur de lui refuser cette faveur. À sa demande expresse, nous sommes descendus au Claridge, l'hôtel le plus luxueux de la ville. L'édifice dominait l'océan de ses vingt-quatre étages. Ma grand-mère a payé encore. J'ignore à combien s'élevaient ses économies, mais l'argent ne semblait jamais un problème pour elle. Moi, je venais d'abandonner mes études et j'étais sans le sou. "Je vais me promener", a-t-elle déclaré. Elle m'a prêté quelques dollars pour que j'aille m'amuser. M'amuser, c'était un bien grand mot : je n'avais pas droit au casino.

Le soir venu, dans notre suite, j'ai attendu vainement qu'elle se montre. J'ai appelé la réception, sur les coups de neuf heures. Un message m'attendait : une note de ma grand-mère. Je suis descendu en quatrième vitesse. Au comptoir, un loufiat m'a remis une enveloppe. Je l'ai ouverte, et tout s'est mis à tanguer autour de moi. Je me souviens avoir levé les yeux au plafond. Pour faire simple, ma grand-mère expliquait qu'elle avait rencontré un homme et qu'elle ne dormirait pas dans notre chambre ce soir, inutile de l'attendre. Un homme ? À plus de soixante-dix ans ? C'était inimaginable.

J'ai d'abord pensé appeler mon père, ou ma tante, et puis je me suis ravisé. Qu'auraient-ils pu faire ? J'avais perdu ma grand-mère. Mieux valait essayer de la retrouver par moi-même. Mais par où commencer ? J'ai erré deux ou trois heures dans les rues environnantes, puis je suis retourné à notre chambre. Bien entendu, je n'ai pas fermé l'œil de la nuit. J'imaginais toutes sortes de choses : qu'elle avait été enlevée, ou pire.

Je commençais à peine à m'assoupir lorsque le téléphone a sonné. J'ai bondi sur mes pieds. C'était elle. Elle tenait à me rassurer. Elle était toujours avec son "ami" et elle allait partir en voyage. Surtout, que je n'aille pas m'imaginer des choses. En voyage ? J'ai dû répéter le mot trois fois. Elle a continué de parler. Son ami avait des relations, prétendait-elle. Il avait déniché un bateau pour l'Europe, et ils allaient monter à bord. J'ai essayé de garder mon calme. Les autres ne me pardonneraient pas de l'avoir laissée filer. Il fallait à tout prix que je parvienne à savoir où elle se trouvait. Mais elle était maligne. Elle n'a répondu à aucune de mes questions. En désespoir de cause, j'ai demandé à parler à son ami. Elle m'a dit au revoir. "Tout est pour le mieux", a-t-elle murmuré. Puis une voix masculine a résonné dans le combiné. "Votre grand-mère va bien. Je veillerai sur elle. Vous pouvez me faire confiance." Il a raccroché avant que je puisse ajouter un mot. »

Ralph s'arrête un instant, se passe une main dans les cheveux. Une ombre de regret obscurcit son visage. « *J'ai commis une erreur, reconnaît-il. À ce moment précis, j'aurais dû appeler mon père. Lui aussi avait des relations : il aurait peut-être pu faire quelque chose. Simplement, aurait-ce été judicieux que d'empêcher ma grand-mère de partir ? J'ai passé la matinée suivante à arpenter la jetée sans but, puis je suis remonté sur New York, en laissant un mot à l'hôtel au cas où ma grand-mère se montrerait. Chaque matin pendant trois jours, j'ai appelé la réception. À New York, j'ai pris la chambre la plus sordide que je pouvais trouver. Je ne voulais toujours pas prévenir mon père, ni même ma tante. Ils devaient pourtant attendre de mes nouvelles. Je suis allé sur le port. Je m'y prenais très mal. J'ai essayé de savoir s'il y avait des bateaux en partance pour l'Europe. Un paquebot était sur le point d'appareiller – le* Queen Mary, *en route pour Liverpool, mais on m'a certifié qu'il ne prenait que des militaires à bord.*

NEW YORK, 1944. LE *QUEEN MARY* EST EN ROUTE POUR LIVERPOOL (CLICHÉ DE RALPH MENDELSON).

Quelques heures plus tard, j'ai appris qu'il y avait aussi une centaine de civils. J'ai réussi à me procurer une liste : ma grand-mère n'y figurait pas. Les mains dans les poches, je suis ressorti. Des mouettes tourbillonnaient, une pluie mêlée de neige commençait à tomber, le grand paquebot s'éloignait. J'étais seul, et je n'avais plus la moindre piste. Je me suis enfin décidé à téléphoner à mon père. »

La suite de l'histoire est consignée en grande partie dans le journal de David : par déduction, celui-ci parvient à établir que sa mère se trouve bien à bord du *Queen Mary*, en compagnie d'un homme d'âge mûr, et sous une fausse identité. Les autorités se déclarent impuissantes. Elles ont d'autres chats à fouetter, et Batsheva est majeure. La mort dans l'âme, David appelle sa sœur.

« *Il était effondré ; nous l'étions tous. Ralph s'en voulait énormément. Connaissions-nous des gens en Europe ? Mon frère a envoyé quelques télégrammes au petit bonheur la chance. Mais c'était bien la guerre, là-bas. Personne ne nous a répondu.* »

Le 11 avril, après plusieurs semaines d'insupportable angoisse, David reçoit à son agence un message sibyllin. « *Arrivée à Vienne ce jour. En sécurité. Bientôt de retour. Maman.* » L'aîné des Mendelson froisse le papier dans son poing. Il est fou de rage. Leah s'emploie à le raisonner.

« *Elle était vivante, explique Doris, c'était tout ce qui comptait. Visiblement, l'homme avec lequel elle se trouvait avait tenu promesse. Nous étions parvenus à en apprendre un peu plus sur lui : c'était un diplomate de haut rang. Il devait savoir que Batsheva était juive. On pouvait penser qu'il avait pris toutes les précautions nécessaires.* »

Il n'empêche : le printemps 1944 reste dans le souvenir des Mendelson les plus âgés comme l'un des pires de leur histoire. Au plan militaire, les nouvelles arrivant d'Europe sont, dans l'ensemble, légèrement encourageantes. Odessa a été libérée en avril, le reste de l'URSS va suivre : à terme, la défaite de l'Allemagne paraît inéluctable. Mais le danger reste extrême, surtout pour les Juifs. Même si personne ne devine l'ampleur du massacre de masse perpétré par Hitler et ses sbires, on sait de source sûre que les Juifs sont enlevés, emprisonnés, tués. Et ce n'est qu'au début du mois de juin, après avoir multiplié les démarches administratives auprès de plusieurs consulats européens, que David et Leah reçoivent enfin d'autres nouvelles de leur mère – un second télégramme, envoyé cette fois du Montreux Palace, en Suisse. « *Toujours en vie. Serai région Göteborg dès le 15 juin au Lysekil Havshotell. Nouvelles suivront. B.* » Le « Maman » affectueux s'est transformé en « B. », pour Batsheva : comme si les épreuves qu'elle avait subies avaient dépouillé la vieille femme de son identité de mère. David et les siens attendent quelques jours, une semaine. Les nouvelles ne suivent pas. Le peur s'empare des esprits, une peur globale, incontrôlable. Un gigantesque débarquement, en effet, vient d'avoir lieu en Normandie, et David croit savoir que Walter y a participé. Est-il encore seulement en vie ?

À ce moment, le journal de l'aîné des Mendelson s'arrête net : dévasté par l'angoisse, craignant d'avoir perdu en même temps sa mère et son fils, le patriarche est incapable d'écrire une ligne.

Au soir du 20 juin, un nouveau télégramme lui parvient, envoyé d'un hôpital de fortune quelque part en Normandie. Walter est sain et sauf. Au sein de la 29e division d'infanterie, 116e régiment, 3e bataillon, compagnie L, menée par le lieutenant-colonel Lawrence E. Meeks, il a bel et bien participé au débarquement d'Omaha Beach. À présent, blessé au bras, il attend d'être rapatrié.

« *Lorsqu'il a appris la nouvelle, raconte Leah, mon frère s'est directement rendu à la synagogue. Il avait besoin d'être seul, je crois, de parler à quelqu'un qui se contenterait d'écouter. Trois jours après, nous avons reçu un message de Walter expliquant qu'il allait essayer de ramener sa grand-mère. Et c'est exactement ce qu'il a fait. Oh, ne me demandez pas comment. Tout ce que je peux vous dire, c'est que quelqu'un – probablement un*

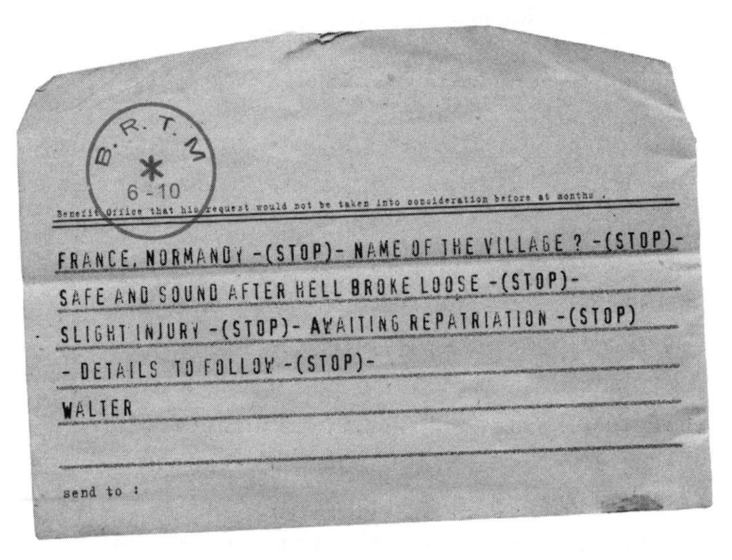

B. R. T. M
6 - 10

Benefit Office that his request would not be taken into consideration before at months .

FRANCE, NORMANDY -(STOP)- NAME OF THE VILLAGE ? -(STOP)-
SAFE AND SOUND AFTER HELL BROKE LOOSE -(STOP)-
SLIGHT INJURY -(STOP)- AWAITING REPATRIATION -(STOP)
- DETAILS TO FOLLOW -(STOP)-
WALTER

send to :

TÉLÉGRAMME DE WALTER. *France, Normandie – (STOP) – Nom du village ? – (STOP) – Sain et sauf après déferlement – (STOP) – Blessure bénigne – (STOP) – Attends rapatriement – (STOP) – Détails suivent – (STOP) – Walter ami à lui – s'est rendu en Suède, à Lysekil, est parvenu à retrouver Batsheva et l'a ramenée à Liverpool en avion militaire. Un C 69 Constellation : c'est tout ce que notre mère était capable de répéter. Et c'est là-bas, en Angleterre, que mon neveu l'a rejointe. Après quoi ils ont embarqué tous deux à bord d'un navire de guerre, et ils sont rentrés à New York.* »

Sur les aventures de Walter en Normandie, nous ne savons rien ou presque. Aucune lettre, aucun journal, aucune interview ne peuvent nous permettre de nous faire une idée précise de ce qui s'est passé pour lui en ce célèbre mois de juin 1944. Tout au plus peut-on se fier aux multiples récits de ses compagnons d'infortune, tels que présentés dans les archives du 116e régiment : des bunkers, un feu incessant, un assaut aveugle – des centaines de morts en quelques minutes.

Manifestement, le lieutenant Mendelson n'est pas blessé le 6 juin, mais quelques jours plus tard, aux abords d'un village normand. De là, il parvient à contacter les siens. Comment, par quel truchement ? À son retour de guerre, le jeune homme sera décoré de la Silver Star en récompense d'« actes de bravoure hors du commun ». Ces actes mystérieux peuvent-ils suffire à expliquer le privilège dont bénéficia le jeune soldat ? Là encore, pas de réponse.

La fin de l'histoire, en revanche, est connue. À son arrivée à New York, le 14 juillet 1944, la vieille femme et son petit-fils sont accueillis par toute leur famille : Leah et David sont présents, ainsi que leurs conjoints et enfants. Bras bandé, Walter s'avance en premier. Des flashes crépitent, Batsheva descend à la suite de son petit-fils. Pâle, épuisée, elle a perdu plus de dix kilos et se déplace avec difficulté. Très ébranlé, David presse sa mère de questions. Elle ne répond pas. Dans le taxi qui la mène à l'appartement familial, mains croisées sur les genoux, son regard erre au hasard. Rien – ou presque – ne semble pouvoir la sortir de son silence.

« *Je suis restée deux semaines avec elle chez mon frère avant de repartir pour la Californie, explique Leah. Il était clair qu'elle n'allait pas bien du tout. J'ai fait venir un médecin, qui a essayé de nous rassurer. Puis nous avons regagné Los Angeles en train – une expérience extraordinairement éprouvante. J'espérais qu'elle allait finir par se confier. Elle ne l'a pas fait. Le peu que nous sommes parvenus à reconstituer de son périple, nous le devons à Walter. De toute évidence, elle avait parlé à son petit-fils lors du voyage du retour. Mais comme il était loin d'être bavard… Ah, David était très remonté contre sa mère ! Nous avons eu de longues conversations au téléphone, encore. Des courriers incendiaires ont été échangés. Toujours, je lui conseillais de rester calme, de faire preuve de patience. C'était comme un puzzle, un jeu de piste. Le temps était notre seul allié.* »

JOURNAL INTIME DE DAVID. 27 JUILLET. *Ce qu'a fait notre mère en Europe, comment elle s'en est sortie, par quelles épreuves elle est passée : nous ne le saurons sans doute jamais. Le mutisme obstiné, dans les grandes occasions, est une autre célèbre marque de fabrique Mendelson.*

July 27
What our mother did in Europe, how she got away, what ordeals she went through, we'll probably never find out. Such obstinate silence regarding dramatic events is another typical Mendelson trait.

Dernière folie

Batsheva rendra son dernier souffle en 1946 ; nous reviendrons en temps voulu sur les circonstances de sa mort. Pour l'heure, c'est évidemment son épopée qui nous intéresse, une épopée à laquelle nous aurions très bien pu n'avoir que quelques lignes à consacrer si un hasard ne s'était soudain mêlé de notre histoire.

Une fois de plus, c'est Leah qui raconte : « *C'est arrivé en 1975, au printemps ; je m'en souviens comme si c'était hier. Je me trouvais à Santa Cruz, en vacances. David m'a appelée, il était excité comme un fou. Une femme venait de prendre contact avec lui : elle se présentait comme la nièce de Maurice de Saint-Simon, qui avait connu notre mère pendant la guerre, et avait des choses capitales à nous révéler. Elle se proposait de nous rencontrer une semaine plus tard à New York.* Gants gut[1], *ai-je pensé. J'ai sauté dans le premier avion.* »

Maurice de Saint-Simon ! David et Leah en frémissent. Ce nom, ils l'ont appris de Walter trente ans auparavant : l'homme qui accompagnait Batsheva en Europe. Un diplomate de haut rang, censément mort en Suisse en 1944.

« *Anabell de Saint-Simon était une petite femme fluette et timide, poursuit Leah. Je ne lui donnais pas plus de soixante ans. Partout, elle promenait des regards apeurés. Il pleuvait des hallebardes ce jour-là, et nous avions trouvé refuge dans un* dinner *du Lower East Side en souvenir des temps anciens. Au moment du dessert, Anabell a poussé un petit livre vers nous. La couverture était très neutre. Rien que le nom de l'auteur, et un titre :* Dernière folie. *C'était un roman, un roman inachevé, nous a expliqué sa nièce, rédigé en français et visiblement autobiographique. Notre mère y figurait en bonne place. L'auteur n'avait pas changé les noms.* »

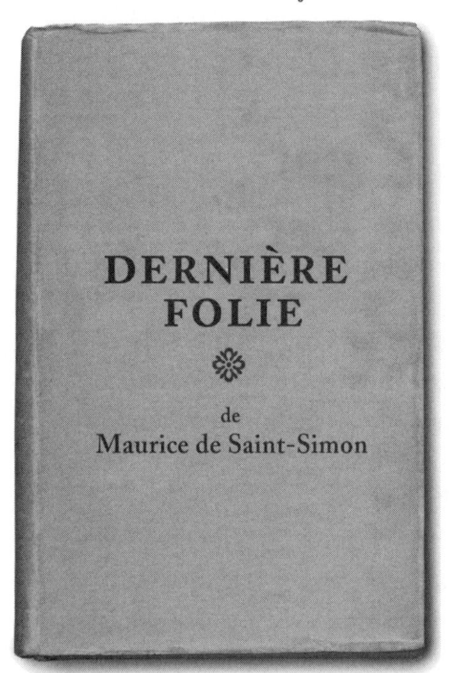

La couverture artisanale du *Dernière folie* de Maurice de Saint-Simon (exemplaire appartenant aux Mendelson).

Leah Mendelson cligne des yeux. « *C'était si... inattendu. Mon frère a feuilleté le livre en silence, puis*

1. « *Très bien.* »

me l'a passé sans dire un mot. C'était un ouvrage publié à compte d'auteur, et le papier était de qualité médiocre, je me souviens de ce détail. Je me rappelle aussi avoir senti ma gorge se serrer. L'histoire était rédigée à la troisième personne, et le nom de notre mère revenait presque à chaque page. Nous n'avons pas touché notre dessert. Anabell nous considérait avec inquiétude. Elle comprenait notre surprise, disait-elle, elle la comprenait très bien. Il ne lui avait pas été possible de nous contacter plus tôt : son père, le frère de Maurice, ne l'aurait jamais permis, pas plus qu'il n'aurait autorisé la publication de ce livre. Mais il était mort désormais, et c'est ce qui avait décidé sa fille à entreprendre des recherches. Nous avons ouvert de grands yeux : avions-nous bien entendu le mot "publication" ? Anabell a souri. C'était en partie pour cela qu'elle avait tenu à nous rencontrer. Elle avait étudié le roman de son oncle en long et en large. Certes, elle n'y connaissait pas grand-chose en littérature mais il lui semblait évident que ce texte était publiable en l'état. En vérité, elle désirait notre accord avant de le proposer à des éditeurs. Évidemment, il fallait que nous le lisions d'abord. »

Leah et David s'exécutent, en une soirée. « *Le livre était écrit en français, langue que je maîtrisais bien mieux que mon frère, reprend Leah. Je lui ai fait un résumé aussi exhaustif que possible. On pouvait comprendre pourquoi le frère de Maurice s'opposait à sa diffusion. L'auteur y évoquait son homosexualité en termes explicites. Et cette fin ! Les dernières pages disaient tout, sans la moindre pudeur. Anabell, que nous avons retrouvée le lendemain, semblait pour sa part très fière de son oncle. Elle tenait absolument à ce que justice lui soit rendue, à ce que son histoire soit portée à la connaissance du plus grand nombre. Qu'en pensions-nous ? David et moi avons longuement parlementé. Notre mère était l'un des personnages principaux du roman, et nous en avions appris dix fois plus sur elle en le lisant qu'au cours des deux dernières années passées à ses côtés. Fallait-il pour autant laisser paraître un tel ouvrage ? Personnellement, je n'y étais pas opposée. David était plus réservé. Pour lui, cette histoire arrivait trop tard. Nous avons discuté encore. Nous avons demandé à Anabell si elle était d'accord pour changer certains noms. Elle a refusé. Mon frère s'est énervé, comme il sait si bien le faire. Il a parlé de procès, de vie privée, de droit moral. Très calmement, la nièce de Maurice s'est levée et a quitté le restaurant. Nous ne l'avons jamais revue et, à notre connaissance, le roman n'est jamais sorti.* »

L'exemplaire remis par Anabell à Leah et à David, trouvé en 1994 dans le coffre aux trésors de Greenwich, ne peut être considéré comme une pièce unique : il paraît en effet évident qu'Anabell de Saint-Simon avait fait tirer plusieurs exemplaires du texte original. Il n'en constitue pas moins, et à plus d'un titre, un témoignage exceptionnel, sans lequel l'aventure européenne de Batsheva Mendelson serait demeurée à jamais une énigme.

Les pages que vous allez lire ont été sélectionnées en collaboration avec Doris et ses cousins Ralph et Walter. Elles proviennent toutes de la seconde partie du livre. Il est permis de se demander si David aurait apprécié de voir finalement cette histoire reproduite, fût-ce sous forme d'extraits. Pour être honnête, sans doute aurais-je renoncé à les inclure si ses propres descendants n'avaient autant insisté. « *Notre père était un homme obstiné, déclarera notamment Ralph au moment de la décision finale. Il était capable de se braquer si les choses ne se passaient pas exactement comme il l'avait prévu, si son orgueil était touché. La vérité, c'est qu'il était très fier de sa mère et de ce qu'elle avait vécu. Si vous ne publiez pas ces pages, qui le fera ?* »

Voici donc, conservés en l'état, les passages les plus marquants à nos yeux du roman inédit de Maurice de Saint-Simon.

CHAPITRE 16

Ses hanches battues par les flots noirs, le *Queen Mary* filait parmi les ondes : plein cap sur le ciel cadavérique de l'Angleterre. La pluie tombait en lances obliques, et le pont luisait comme une peau lustrée. Mains dans les poches, le consul de Saint-Simon longeait le bastingage, un porte-cigarettes aux lèvres. Il était perdu dans ses pensées, des années en arrière, au temps béni de l'amour et des promesses. Que restait-il à espérer ?

Devant l'alignement des transats, l'homme s'arrêta et rajusta ses mèches mouillées sous sa casquette. Assise à l'abri d'un immense parapluie noir, Batsheva Mendelson faisait face à l'horizon en se tordant les doigts. Midi : le consul venait d'examiner sa montre à gousset.

– Déjeunerons-nous ?

Hébétée, son amie releva la tête.

– Je n'ai pas faim.

– Moi non plus. Et les soldats encore moins. Mais il faut bien se nourrir. Venez.

Il lui tendait la main. La vieille femme hésita un instant puis se laissa entraîner.

– Vous ne savez rien, maugréa-t-elle en lui donnant son parapluie pour lisser les pans de sa robe.

– Non ?

Déjà, il la menait vers les escaliers. Elle lui emboîta le pas.

– Je suis malade.

– Oh.

– Vous ne semblez pas faire grand cas de ma santé.

Un sourire amusé éclaira le visage du consul. Elle lui avait repris son parapluie des mains.

Arrivés à l'*observation lounge*, ils commandèrent des cocktails. Batsheva s'était laissée tomber dans un fauteuil de cuir rouge. Doucement, elle se massait les paupières : les chromes agressifs lui donnaient la migraine.

Depuis des jours, quasi seuls parmi les douze mille soldats embarqués, ils erraient de salon en salon, grignotant des sandwiches, éclusant des vodkatinis, se réfugiant dans les alcôves. Ils s'étaient habitués au roulis, au fracas des porcelaines. Ils s'étaient accoutumés au mauvais temps, aux alertes, aux cauchemars et à la peur. Ils avaient pris leur parti des militaires méprisants et de la guerre sans fin. Hitler avait promis, racontait-on, une récompense de 250 000 dollars à qui enverrait le *Queen Mary* ou le *Queen Elizabeth* par le fond. Mais les fleurons de la Cunard White Star Line, brûlant une tonne de charbon à l'heure et dépassant les trente nœuds, étaient bien trop rapides pour les U-Boot[1] allemands.

Un jour encore, une nuit passée à tanguer sous les étoiles, et Liverpool serait en vue. Le consul fumait en tournant les pages d'un roman sentimental qu'il avait sorti de sa poche, et Batsheva Mendelson l'observait de profil. Cherchait-elle à deviner ses pensées ? Brusquement, elle fit glisser d'une pichenette le petit écrin noir qu'il avait posé entre leurs verres.

– Bon sang, Maurice, me direz-vous enfin de quoi il s'agit ?

– Ne vous tourmentez pas ainsi.

Son phrasé aristocratique s'accompagnait d'un accent aussi léger qu'indéfinissable. Allemand, russe peut-être ? Refermant son livre d'un claquement, il repoussa la boîte vers elle.

– Batsheva Mendelson, pardonnez mon incurable protestantisme et répondez à cette question : acceptez-vous d'être ma femme ?

Elle ouvrit l'écrin avec un soupir. Une alliance en or blanc reposait sur un fond de feutrine noire.

– Ne me dites pas d'où elle vient.

Il leva son verre.

1. *Sous-marins.*

– J'en ai tout une collection. Des amies à moi, que je suis parvenu *in extremis* à détourner du saint sacrement.

Elle ôta l'alliance de son écrin et, forçant un peu, la passa à son annulaire. Après quoi, elle écarta les doigts. Satisfait, le consul reposa son verre. Il tira un portefeuille de sa veste et le lui tendit.

– Voici vos papiers. Vous vous appelez Andrée de Saint-Simon, Garell pour le nom de jeune fille. Vous êtes née à Londres en 1874, et c'est là-bas que nous nous sommes rencontrés. Votre père était viennois. Nous avons convolé en 1901 à Paris, où mes fonctions m'appelaient. Nous sommes un couple sans enfants – ne compliquons pas les choses. Vous ne travaillez pas, vous n'avez jamais vraiment travaillé. Vous êtes issue d'une riche lignée franco-anglaise et vous n'avez pas pour habitude de vous salir les mains. Vous m'accompagnez, voilà ce que vous faites. Plus de quarante ans passés à mes côtés. Nous nous supportons à grand-peine.

La vieille femme laissa échapper un ricanement.

– Vous poussez le raffinement jusque dans les moindres détails…

Il se pencha vers elle et prit sa main entre les siennes. Son visage devint grave.

– Vous devez vous en tenir à cette version, murmura-t-il, indifférent au groupe de GI qui venait de prendre possession de la table voisine et les observait avec curiosité : quoi qu'il arrive. Ces papiers sont parfaitement conformes. *A priori*, vos interlocuteurs n'ont aucune raison de chercher à en savoir plus. Mais si vous commettez une erreur, une seule, ils poseront des questions, et ce sera l'engrenage. Nul besoin de vous rappeler ce que vous risquez.

Elle hocha la tête. Il lâcha sa main, et sa figure se radoucit.

– Vous êtes ma femme, reprit-il. Nous vivons à New York et nous nous rendons à Vienne pour affaires. Je viens discuter avec un homologue allemand que vous ne connaissez pas – mon travail ne vous passionne guère. Sur un plan politique, nous nous moquons de la guerre. Nous regrettons qu'elle ait lieu mais nous ne nourrissons aucune antipathie particulière pour Hitler. Qu'y a-t-il ?

Le visage ridé de la vieille femme s'éclaira d'un rictus :

– J'ai préparé du café pour le jeune Adolf Hitler un jour. C'était un camarade de mon fils. Il n'est jamais venu.

Le consul se retourna pour faire un signe au serveur.

– Bref, dit-il. Oubliez Batsheva Mendelson et ses enfants. Oubliez votre mari jusqu'à ce que nous arrivions à Vienne. Vous vous souvenez de sa tombe, n'est-ce pas ? Vous ne disposerez que d'une heure.

Le serveur déposa deux nouveaux cocktails sur la table. La vieille femme leva les yeux vers lui. Elle avait à peine touché son premier verre.

– Zentralfriedhof, fit-elle. Le premier cimetière juif, celui que les nazis, maudite soit leur engeance, ont détruit durant la Nuit de cristal. Je ne sais même pas si la sépulture existe encore. Mais l'endroit où elle se trouve, oui, bien sûr que je le connais. Je le retrouverais les yeux bandés.

– Excellent, fit le consul. Il ne nous reste plus qu'à peaufiner les détails.

Batsheva Mendelson ouvrit le portefeuille et inspecta les faux papiers que l'homme avait fait confectionner pour elle. Ils semblaient en tous points parfaits. Elle avança une main tremblante vers son verre. Cela faisait près de trente ans qu'elle avait quitté l'Europe, et elle avait fini par croire qu'elle n'y retournerait jamais. 1944. Le consul était formel : on ne pouvait rêver pire moment.

– J'ai tout de même une question.

– Une seule ?

Elle acquiesça. Il ouvrit les mains en signe d'attente.

– Je vous ai donné mes motifs, dit-elle, mais je ne connais toujours pas les vôtres. Pourquoi voulez-vous vous rendre à Vienne, vous aussi ? Pourquoi maintenant ?

Le consul fit tourner son verre.

– Raison d'État.

Batsheva secoua la tête.

– Je ne vous demande pas le prétexte officiel. Je ne suis pas idiote.

– Il n'y en a pourtant pas d'autre.

Elle plissa les yeux.

– Vous mentez. Je sais parfaitement quand un homme me ment, Maurice.

Il s'esclaffa.

– Épargnez-moi vos sortilèges de vieille mère juive, très chère. Oui, je vous mens. Mais vous n'avez pas à connaître la vérité. C'est le marché que nous avons conclu : je vous mène à Vienne saine et sauve, et vous m'accompagnez sans poser de question. Il vous est encore loisible de changer d'avis, savez-vous ? Le *Queen Mary* ne restera pas éternellement à Liverpool.

À quelques miles des côtes anglaises, le *Queen Mary* se mit à naviguer à vingt-six nœuds en changeant de cap trois fois par heure. La côte approchait : il s'agissait d'éviter les U-Boot.

Juchée à l'avant du pont en compagnie de plusieurs centaines de GI, Batsheva Mendelson regardait la ville approcher. Arrachées au tréfonds de sa conscience, des images du passé revenaient tourbillonner devant ses yeux comme des cartes postales lancées au vent. Un affreux pressentiment lui tordait les entrailles. Elle avait assez vécu, malgré tout, pour savoir ce qu'elle pouvait et ce qu'elle devait ignorer.

CHAPITRE 19

Johann Strauss, Arthur Schnitzler, Franz Schubert, Karl Kraus et le grand Brahms, bien sûr, et l'immense Beethoven : leurs ombres chantaient parmi les bourrasques, entre les branches grisâtres, par-delà les pierres et les ronces, et elle les sentait, comme elle sentait glisser dans l'air pâle leurs regrets en lambeaux, pareils à des traînes balayant le pavé. Elle avançait, à pas lents désormais, redoutant et appelant de tout son être l'instant des retrouvailles tragiques.

Des milliers de tombes avaient été détruites, que personne n'avait jamais réparées. Devant une stèle miraculeusement épargnée, elle s'arrêta enfin. L'herbe aux alentours était jonchée de débris. La vieille femme releva le menton. Un ample mélèze surplombait le champ de bataille. Partout se dressaient des mausolées aux portes arrachées, des statues mutilées, une forêt de lierre vivace d'où émergeaient, semblables à des proues, quelques rochers noirs encore, couverts d'inscriptions en hébreu. Batsheva Mendelson se surprit à appeler :

– Isaac !

À l'horizon, la nuit glacée d'avril rassemblait ses armées de nuages. Secs étaient les yeux de la vieille femme : elle ne comprenait plus ce qu'elle faisait ici, elle ne comprenait plus pourquoi son mari était mort. Elle était partie voici des millions d'années, et elle avait tout oublié de cette ville. Elle s'était noyée dans des souvenirs factices, des histoires d'époque ancienne où chaque détail trouvait sa place – mais cette stèle froide et laide la ramenait au présent et lui disait que rien, jamais, ne lui serait rendu.

Batsheva ? Attends.

Au milieu du chemin, elle fit volte-face. Son mari se tenait là, à quelques mètres d'elle, les doigts serrés sur le pommeau de sa canne. Ses fins cheveux gris ondoyaient, et il posait sur son épouse un regard de tendresse malheureuse.

– Isaac ?

Elle avait dit son nom à voix haute, et la surprise qu'elle éprouvait de le voir ainsi se teintait d'un agacement féroce.

– Isaac Mendelson, tu aurais pu te montrer plus tôt.

Pourquoi ne la serrait-il pas dans ses bras ? Il faisait un froid terrible, et elle avait terriblement besoin de chaleur. Puis elle se rappela qu'il ne l'avait jamais serrée de son vivant, jamais en public à tout le moins – cela me gêne, répétait-il à l'envi, ma pudeur en est froissée –, et le mettre dans l'embarras, à présent qu'elle l'avait retrouvé, était la chose qu'elle désirait le moins au monde ; elle se contenta donc de faire un pas en avant. Reculant d'autant, son époux tressaillit. Il portait les mêmes vêtements, exactement, que le jour de sa mort.

– Je suis revenue pour toi, dit Batsheva. *Gai strasheh di vantzen*[1], alors comment se fait-il que toi, tu me regardes comme si j'étais le démon ?

Isaac s'appuya un peu plus sur sa canne. Il prit un air navré.

– Oh, tu ne m'effraies en rien, femme, mais les vivants ne doivent pas s'approcher trop des morts. Et puis, tu n'es pas revenue seulement pour moi, l'Éternel m'est témoin.

La vieille femme fronça les sourcils. Elle était seule, seule avec son défunt mari au milieu de la clairière, et la pénombre envahissait tout.

– Que dis-tu ?

– Tu n'es pas revenue seulement pour moi, répéta l'homme. Tu es revenue pour aider nos semblables.

Batsheva ramena sur elle son col bordé de fourrure. Elle était contrariée.

– Tu m'as appelée. Je t'ai vu en rêve.

– Et alors ?

– *Bist meshugeh*[2] ? Sais-tu quelle distance j'ai parcourue pour arriver jusqu'à toi ? J'ai traversé l'Amérique tout entière, et l'océan après elle. À l'heure qu'il est, mes ossements pourraient bien blanchir au fond de la mer.

Isaac désigna sa propre tombe du bout de sa canne.

– Mes ossements à moi blanchissent ici, et ils ont connu vingt-huit hivers. Suis-je en train de me plaindre ?

1. *« Tu ne me fais pas peur. »*
2. *« Es-tu fou ? »*

– Tu ne t'es jamais plaint de rien, rétorqua Batsheva comme s'il s'agissait d'un reproche. Et je ne comprends rien à ce que tu essaies de m'expliquer.

– Au nom du ciel, ma femme, nous n'allons pas nous disputer encore ! Je suis mort, l'aurais-tu oublié ?

Il avait écarté les bras. Son épouse poussa un soupir et donna un léger coup de pied à une motte de terre.

– Ce n'est pas moi qui t'ai appelée, reprit Isaac d'une voix très douce. Je ne veux pas mettre en doute le fait que tu m'aies vu mais le seul appel auquel tu aies répondu, c'est celui qui dormait au fond de ton cœur depuis tout ce temps. C'est toi qui as voulu revenir ici, Batsheva Mendelson. Parce que tu es juive. Parce que tu sais ce que vit ton peuple aujourd'hui.

La vieille femme se sentit soudain fiévreuse. Elle voulut demander à son époux pourquoi il avait attendu si longtemps pour lui parler des Juifs, pourquoi, par exemple, il ne l'avait pas fait de son vivant, lui qui était resté des années entières claquemuré dans son atelier au milieu de ses horloges et de ses oiseaux mécaniques. Mais Isaac regardait ailleurs. Oh, pensa-t-elle avec colère, tu as toujours été très fort pour détourner les yeux lorsque tu ne voulais pas voir.

– Feras-tu ce que tu as à faire, ma femme ?

Elle allait lui répondre, lorsqu'un craquement la fit sursauter. Elle se retourna. Un gardien s'approchait à larges enjambées. Quand elle regarda de nouveau le chemin, évidemment, Isaac Mendelson avait disparu.

– Madame ?

Alaichem sholom, Isaac Mendelson. La paix soit sur toi.

– Madame, le cimetière ferme ses portes. N'avez-vous pas entendu l'appel ?

Elle passa près de lui sans même lever les yeux.

– Si, marmonna-t-elle. Bien sûr, que je l'ai entendu. Je suis peut-être vieille, mais je ne suis pas sourde.

CHAPITRE 20

Il lui annonça la nouvelle avec sa nonchalance coutumière : en reposant sa tasse de café sur le petit guéridon de fer non sans avoir, du bout des lèvres, soufflé sur l'écume. C'était une chose tellement grave et lourde de conséquences que avec sa nonchalance à elle, elle fit d'abord semblant de n'avoir pas entendu, de sorte qu'il se sentit obligé de la lui répéter.

– Nous partons pour Theresienstadt.

Ils se tenaient sur la terrasse de leur hôtel, surplombant la vieille ville et ses clochers fragiles qu'un ciel immaculé recouvrait comme un baume. À chaque instant, ils s'attendaient à voir poindre au loin les énormes bombardiers venus d'Italie qui, quelques jours auparavant, avaient commencé en périphérie leur affreux travail de sape. Batsheva s'étonnait qu'on pût s'habituer si vite au malheur. À l'approche du désastre, les vieux démons de la résignation se réveillaient sans crier gare et, une fois encore, l'on vivait naturellement avec l'idée que l'on allait mourir.

– Theresienstadt, répéta-t-elle à mi-voix.

– C'est un camp.

– Je sais.

– Ce n'est pas un camp comme les autres, ceux que l'on trouve en Pologne. On dirait plus une ville. C'est une ville, au fond.

– Oui, fit la vieille femme en reposant la cuillère sur le bord de sa soucoupe.

– Et je dois y aller.

Elle toussota, portant son poing à sa bouche, et le fixa sans ciller.

– Pourquoi ?

– Mon frère est là-bas.

– Vous ne m'avez jamais dit que vous aviez un frère.

– Vous ne m'avez jamais posé la question.

– Comment s'appelle-t-il ?

– John.

Il avait détourné les yeux, lui aussi. Elle était certaine qu'il affabulait encore. Était-ce important ?

– Que fait votre frère dans ce camp ?

– Il…

La réponse ne venait pas. Il releva la tête, affronta son regard.

– Je préfère ne pas en parler, dit-il. Moins vous en saurez, mieux cela vaudra.

– Je suis supposée être votre femme.

– Personne ne vous posera de questions, faites-moi confiance.

Elle eut un hoquet. Il guettait ses réactions avec une tristesse résignée.

– Quoi ?

– Vous faire confiance, hein.

– Batsheva...

– Ne me donnez pas du « Batsheva », répliqua-t-elle d'un ton sec. Nous étions censés retourner en Angleterre. Chaque jour que nous passons ici est un jour de trop. Je risque ma vie.

– Parlez moins fort.

D'un hochement du menton, il désigna un groupe d'officiers allemands qui parlementaient en contrebas.

– J'ai rempli ma part du contrat, reprit-il. Je vous ai conduite à Vienne saine et sauve. Sans moi, vous n'auriez pas franchi dix mètres avant de vous faire arrêter. Dieu sait ce qui vous serait arrivé alors.

– Vous m'avez menti, répondit calmement la vieille femme. Vous mentez sans cesse. Bah, je suppose que je n'ai pas le choix. Je suppose que vous êtes aussi fou et obstiné que moi.

Sans pouvoir s'empêcher de sourire, il avança une main vers elle, paume tendue en signe d'alliance. Haussant les épaules, elle fit mine d'ôter de son doigt la bague qu'il lui avait offerte. Elle ne parvint même pas à la bouger.

– Vous voyez ? plaisanta le consul. Vous êtes condamnée à me suivre.

– Je devrais vous maudire, rétorqua Batsheva d'une voix détachée. Mais j'ai besoin d'un peu de repos.

Elle se leva et rangea sa chaise sous la table. Dans le couloir à moquette feutrée qui menait à leur suite, un garçon d'étage se redressa sur son passage. La vieille femme se toucha les yeux. Son mari, elle le savait, se tenait là quelque part, retranché dans l'ombre.

CHAPITRE 22

– Andrée ? Venez-vous ?

Figée sur le bas-côté, Batsheva regardait les enfants s'éloigner. L'officier nazi les avait chassés comme des moineaux, et un sourire radieux éclairait son visage. Tranquille à ses côtés, Maurice de Saint-Simon humait l'air du soir en inspectant son fume-cigarette. La vieille femme les rejoignit en se raclant la gorge.

– Quand avez-vous dit que la délégation principale arrivait ? demanda le consul en allemand.

– Ils devraient être là d'un jour à l'autre, répondit

l'officier en époussetant son uniforme. Les enfants travaillent d'arrache-pied pour préparer leur pièce. Espérons qu'ils seront prêts à temps.

Le trio se remit en route. Maurice et Batsheva étaient arrivés à Theresienstadt quatre jours auparavant, et rien n'indiquait qu'ils parviendraient à leurs fins : le frère de Maurice demeurait introuvable. Si le découragement commençait à l'envahir, le consul ne le montrait pas. Il plaisantait même avec l'officier, évoquant le désordre qui régnait dans le foyer des apprentis où étaient logés les adolescents soumis au travail obligatoire, et que l'on ne pouvait faire cesser, affirmait-il, qu'à coups de gourdin bien appliqués. Batsheva, qui marchait derrière les deux hommes, écoutait à peine leurs paroles. Elle observait, le long des hauts murs, le square des enfants récemment aménagé avec son bac à sable et son manège, et le splendide pavillon de bois et de verre que l'on avait fait construire, d'après l'officier, spécialement pour les nourrissons. Très vite, elle avait compris qu'aucun nourrisson ne serait jamais accueilli en ce lieu. Tous ces efforts entrepris pour aveugler les émissaires de la Croix-Rouge, songeait-elle, toute cette poudre aux yeux pour leur faire admettre que la réalité était loin d'être aussi préoccupante que l'on voulait bien le dire.

– Avez-vous des enfants ?

L'officier s'était retourné vers la vieille femme, posant sur elle un regard inquisiteur. Pourquoi cette question ? Pourquoi maintenant ? Derrière son épaule, le consul la fixait, livide. Un frisson de panique. L'officier, un certain Helmut Schäfer, fit claquer ses bottes avec impatience.

– Non, dit simplement Batsheva.

– Bizarre, répondit l'homme avec un reniflement de mépris, votre mari vient de me dire exactement le contraire.

Anéantie, la vieille femme le regarda sans réagir. L'officier éclata de rire.

– Ha, ha ! Je vous fais marcher.

Il asséna une lourde tape sur l'épaule du consul.

– Vous n'êtes pas homme à laisser un enfant dans chaque port, n'est-ce pas ?

Il reprit sa marche, et le trio passa bientôt le bloc E VI, qui servait d'hôpital au sein du ghetto. Batsheva Mendelson sentait son cœur battre comme un tambour. Un instant, elle s'était vue démasquée, bousculée, mise à genoux. Au lieu de quoi l'officier les mena directement aux anciens quartiers généraux du commandement SS, où il plaisanta avec quelques-uns de ses collègues avant de leur offrir un café.

Les membres de la vieille femme tremblaient encore lorsqu'elle reçut la soucoupe et sa tasse. Fort heureusement, l'officier ne fit aucune réflexion. Combien est courte la distance, remarqua Batsheva, qui sépare ici la vie de la mort.

❁

Où voulait-on en venir ? À quoi rimait cette mascarade, cette mise en scène fatiguée aux allures de ballet pâle ? Des femmes nettoyaient le trottoir, savon en main, frottant jusqu'à ce que la pierre devienne marbre. D'un pavillon voisin s'échappaient les accents venteux, striés de cordes, d'un orchestre en répétition. Un vent léger faisait ployer la cime des arbres. « Aimez-vous le théâtre ? » avait-on demandé aux Saint-Simon. On leur avait promis une représentation de Brundibár, un opéra pour enfants donné pour la première fois l'année précédente dans les bâtiments Magdebourg. Plus tôt dans la journée, Batsheva et son époux avaient visité la salle de sport qu'on venait de doter de nouveaux meubles, de jouets, d'un toboggan. Partout dans les rues étaient plantés des poteaux indicateurs ornementés de bacs à fleurs et de gravures symboliques, des scènes d'allégresse sculptées dans le bois peint. Batsheva se tourna vers son guide, un adolescent au regard vif que l'officier Schäfer avait chargé de lui faire visiter les lieux. Elle avait découvert la « montagne du Sud », où l'on jouait au football, la « boulangerie blanche », où l'on distribuait le pain avec des gants, les ateliers flambant neufs, la belle bibliothèque et le café, où des formations musicales donnaient régulièrement des concerts. Tout était propre, ratissé, briqué de près, et nul mendiant ne traînait dans les rues, pas le moindre vieillard. D'une fenêtre ouverte, des chants d'enfants leur parvenaient, angéliques sous le ciel immaculé.

Batsheva s'arrêta, comme si la foudre l'avait frappée sans lui faire mal. Lentement, très lentement, elle s'appuya sur le jeune homme.

– Comment as-tu dit que tu t'appelais ?

– Petr Ginz, madame.

– Et tu es juif.

– Oui, madame, par mon père et mes grands-parents paternels. Mais ma mère est catholique.

– Depuis quand vis-tu ici ?

Ils sursautèrent. Quelqu'un avait fermé la fenêtre, les chants d'enfants s'étaient tus, et un silence pesant les enveloppait désormais, que le bleu du ciel rendait plus inquiétant encore.

– Un peu plus de deux ans, madame.

La vieille femme hocha la tête et se remit en route. Le dénommé Petr se porta à sa hauteur.

– Je suis juive moi aussi, fit Batsheva.

Le jeune homme ne répondit pas.

– Je suis juive, répéta la vieille femme d'une voix qu'elle voulait plus ferme.

– J'ai entendu.

– Et cela ne t'inspire rien ?

Il la fixa avec douceur.

– Vous ne devriez parler de ça à personne, madame. Pas même à moi. Vous ne savez pas ce qui se trame ici.

– Mais toi, toi tu sais tout, pas vrai ?

Il haussa les épaules.

– J'en sais suffisamment.

Ils longeaient d'interminables baraquements grisâtres. Un couple de soldats marchait à leur rencontre. Rien, dans l'attitude du jeune homme, n'indiquait qu'il les craignait.

– Et voici le bloc G VI où sont cantonnés les mères et leurs enfants de moins de trois ans, déclara-t-il lorsque les hommes arrivèrent à leur niveau.

Lui et la vieille femme restèrent un moment sans rien dire après que les soldats eurent tourné au coin du bloc. Batsheva fut la première à rompre le silence.

– Tout cela...

Elle montrait les banderoles de bienvenue attachées aux poteaux.

– Ils nous ont forcés à mettre ça pour les gens de la Croix-Rouge, répondit Petr. Ne croyez rien de ce que vous voyez ou de ce qu'on peut vous dire. Ils racontent que personne n'est tué, que nous sommes ici pour notre bien. Mais il y a deux ans, seize mille personnes sont mortes de faim entre ces murs. Et des convois partent sans cesse. Pour la Pologne.

Le visage de Petr s'anima soudain. Il parlait à voix basse mais soulignait ses paroles de grands gestes, comme s'il s'était cru seul au monde. Il avait tenu un journal intime, expliqua-t-il, pour son agrément personnel, il avait écrit des romans, mais il était aussi le rédacteur en chef d'un hebdomadaire clandestin appelé *Vedem*, dont il rédigeait régulièrement les éditoriaux et auquel contribuaient certains de ses jeunes compagnons du baraquement L 147.

La vieille femme avait cessé de poser des questions. Elle était fascinée par ce jeune garçon un peu gauche qui parlait l'espéranto, avait commencé la rédaction d'un dictionnaire, et abordait tous les sujets avec un enthousiasme où se lisaient, en filigrane, les symptômes complets d'un désespoir aussi profond qu'impitoyablement muselé.

Ils arrivèrent sur la Marktplatz. Des ouvriers travaillaient à l'édification d'un kiosque à musique.

– Petr, fit la vieille femme sans le regarder, je suis ici pour vous aider, toi et les tiens. Je l'ai promis à quelqu'un. Dis-moi ce que je peux faire.

Il la dévisagea, un sourire sincère aux lèvres.

– Pour nous, madame, vous ne pouvez rien, strictement rien. Ceux qui sont pris à essayer de s'échapper, ils les emmènent dans la forteresse de l'autre côté de l'Eger, et on ne les revoit jamais. Peut-être que nous resterons ici jusqu'à la fin de la guerre. Peut-être que nous aurons cette chance.

Batsheva se détourna. Les coups de marteau des ouvriers avaient réveillé sa migraine mais elle voulait s'interdire de souffrir. Elle n'en avait pas le droit, ici.

Sans un mot, le jeune homme sortit une feuille pliée en deux de la poche de son veston et la lui tendit. C'était un dessin représentant des montagnes escarpées – un paysage de désolation qui lui parut étrangement gai. La Terre brillait derrière le plus haut sommet. On distinguait l'Europe et le continent africain.

Dessin de Petr Ginz, représentant la Terre vue de la Lune.
Il figure dans son journal tenu à Theresienstadt entre septembre 1941 et août 1942, qui a été retrouvé à la libération du camp.
Petr a été déporté à Auschwitz en septembre 1944 et n'en est pas revenu. De nombreuses copies de ce dessin ont été reproduites.
Celle-ci figure en bonne place dans les archives de la Maison Mendelson de Greenwich.

– Qu'est-ce…

– La Lune, répondit Petr. C'est ainsi que je m'échappe et, contre ça, aucun mur ne peut rien. Connaissez-vous Jules Verne ?

– Un peu.

– Moi, j'ai lu tous ses romans d'aventures, et ils sont là, fit le jeune garçon en se tapotant le crâne de l'index, ils sont là pour toujours. Je les relis le soir quand je ne trouve pas le sommeil.

La vieille femme lui rendit la feuille.

– Où sont les tiens ? chuchota-t-elle presque malgré elle.

Elle s'attendait au pire.

– Mes parents et ma sœur sont restés à Prague, répondit le jeune garçon. Vous pouvez aller là-bas et leur dire que je les aime, par exemple. Leur dire que je vais bien et que je n'ai jamais perdu espoir. Parlez-leur de *Vedem*. Je pourrais vous procurer le dernier numéro mais si quelqu'un vous trouve avec vous aurez de gros problèmes. Alors parlez-leur. Rédacteur en chef, dites-le à mon père, et… (Il fouilla dans sa poche, en sortit une balle de ping-pong qu'il avait peinte en bleu.) Et si vous voyez ma sœur, Eva, donnez-lui cela, avec tout mon amour : elle comprendra.

La main ridée de la vieille femme se referma doucement sur la balle. Un groupe de soldats approchait, de l'autre côté de la place. Elle fit disparaître le trésor dans la poche de son manteau.

CHAPITRE 23

– Je suis désolé.

C'était la dixième fois au moins qu'il répétait ces mots. Assis face à la fenêtre, au deuxième étage du bâtiment L 324, qui donnait sur les arbres de Brunnenpark, Maurice de Saint-Simon fixait l'horizon en frissonnant, une cigarette consumée aux trois quarts entre ses doigts jaunis. Le consul n'avait pas retrouvé la trace de son frère et, à présent, le commandement SS lui demandait des comptes : un sauf-conduit qu'il était incapable de fournir. Des officiers vérifiaient ses déclarations, enquêtaient sur sa prétendue affiliation à la Croix-Rouge. Sentant le vent tourner, il avait demandé à ce qu'un câble soit envoyé à Londres, où des amis haut placés pouvaient peut-être le sortir de l'impasse. Rien n'indiquait, cependant, que les Allemands avaient accédé à sa requête.

– Batsheva ?

Assise dans un coin de la pièce, respirant avec peine, la vieille femme épongeait son front couvert de sueur.

– J'ai quelque chose à vous avouer, répondit-elle sans le regarder.

– Moi aussi.

– Je m'en doute bien. Mais je vais commencer, si cela ne vous dérange pas. (Sur son mouchoir, ses doigts s'étaient refermés comme des griffes.) Voilà,

Maurice. Il ne me reste plus longtemps à vivre.

Il releva la tête.

– Vous…

– J'ai un cancer, reprit la vieille femme. Mes poumons sont atteints.

– Mon Dieu. Quand ?

– Un an. Je le sais depuis un an. Et je n'ai rien dit à mes enfants. À quoi cela servirait-il, je vous le demande ? Mais je vous le dis à vous, Maurice de Saint-Simon. Je vous le dis parce que oui : il me semble que vous me devez la vérité à votre tour. Peu m'importe de mourir, voyez-vous. Je suis fatiguée, la vie m'a donné un fils et une fille et ils vont bien, grâce à Dieu, et leurs enfants vont bien aussi. J'ai fait mon temps ici-bas. Et mon mari me manque trop – ce vieil imbécile. Mais si je meurs ici, je veux au moins savoir pourquoi.

Le consul hocha la tête. D'une chiquenaude, il jeta sa cigarette par-dessus le balcon. Tout de suite après, il en sortit une autre, et son briquet.

Batsheva lui laissa tout le temps dont il avait besoin. Elle le regarda fixer la cigarette à l'embout, faire jaillir la flamme, inspirer sa première bouffée.

– Mon frère n'est pas ici.

– Je sais.

– Vous ne comprenez pas, fit-il en plissant les paupières : il ne peut pas être ici, parce qu'il vit aux États-Unis, à Boston. Il va très bien. Et ce n'est pas lui que je cherche.

– Oh.

Le consul ricana, comme si son mensonge se résumait à une simple supercherie.

– Celui que je cherche s'appelle Hilek. Nous nous sommes rencontrés à Prague il y a plus de quinze ans.

Péniblement, la vieille femme s'était levée. Elle posa une main sur son épaule.

– J'avais bien deviné qu'il s'agissait d'un problème de cœur. Seul l'amour peut conduire à de telles extrémités.

Le consul se contenta d'opiner.

– Je suis… (Il chercha son regard, courba l'échine, comme abattu.) J'aime les hommes, Batsheva. Je n'ai jamais aimé que les hommes, et Hilek…

– Hilek est celui que vous aimez entre tous.

Elle l'entendit déglutir.

– J'ignore où il se trouve, déclara-t-il après un long silence. Personne ne semble le connaître. Il faut dire que la plupart des prisonniers ne sont arrivés ici que récemment. Chaque mois, des convois partent vers la Pologne ou Dieu sait où. J'ai montré sa photo à quelques hommes de l'atelier et du bloc B IV, j'ai même essayé l'hôpital et le bloc E VII – c'est là-bas qu'ils mettent les fous et les malades ; il y a un vieillard qui dit qu'il le reconnaît, qu'il est parti il y a trois mois, mais comment être sûr ? Il me faudrait plus de temps. Il faudrait que je sois seul avec eux. Ils se méfient, ils se méfient de tout et de tout le monde. J'ai l'impression que je poursuis un fantôme.

CHAPITRE 24

Ils ne pouvaient pas partir. L'enquête suivait son cours. Au quartier général, qui surplombait la Marktplatz, Maurice négociait avec ardeur tout en s'efforçant de plaisanter. Ce qui leur arrivait, feignait-il de croire, n'était que la conséquence d'un malentendu, un funeste coup de sort dont ils se remettraient bientôt. Il avait voulu câbler une question à Londres, de nouveau ; on lui avait refusé cette faveur. Des procédures « étaient en cours », lui répétait-on. Il n'avait plus qu'à attendre. Au cinquième matin, s'arrêtant sur le porche, il fit tomber son briquet, se baissa pour le ramasser et se mit à pleurer.

Le ciel restait désespérément bleu. Il se demanda si Hilek voyait aussi ce ciel. Quelqu'un avait changé le paysage – remodelant chaque chose pendant son sommeil puis la remettant prestement en place, à l'exception d'un détail infime qui faisait toute la différence. Le chant des oiseaux lui paraissait sinistre, comme les ombres des arbres, et plus encore cette horrible joie de façade, les sourires des prisonniers, les banderoles dépenaillées qu'un vieux jardinier s'évertuait chaque jour à rajuster. Il ne pouvait plus parler à personne, dorénavant. On le surveillait de près.

Il se moucha, essuya ses yeux. Une troupe de petites filles vêtues de blouses blanches s'étirait à travers le parc, une éducatrice à leur tête. Elles chantaient, deux par deux en rangs parfaits, et leurs chevelures brillaient dans la lumière dorée du jour.

Le consul rangea son mouchoir. Des corneilles piquetaient le gravier à quelques mètres de lui. Il resta un moment à les regarder, jusqu'à ce que les petites filles disparaissent, que l'écho de leurs voix graciles s'évanouisse dans l'air.

La procession se dirigeait vers Brunnenpark. Assise sur un banc à l'ombre d'un érable, Batsheva Mendelson ouvrit brusquement les yeux. Une jeune éducatrice en uniforme frappait dans ses mains pour rompre les rangs. Les petites filles s'égaillaient autour d'elle. Elle leur parlait, mais Batsheva ne pouvait entendre ce qu'elle disait.

La jeune femme sortit un foulard noir de sa ceinture et désigna une fillette. La petite s'avança, soumise. Un foulard fut noué sur ses yeux. Batsheva retint son souffle : il y avait quelque chose d'insupportable dans cette scène. Un claquement de mains, à nouveau, et les fillettes se dispersèrent en silence. Elles auraient dû crier, songea la vieille femme. Toutes les petites filles du monde criaient lorsqu'elles jouaient à colin-maillard. Elle-même demeurait parfaitement immobile. L'éducatrice ne l'avait pas vue. S'adossant à un arbre, elle avait croisé les bras.

La petite fille aux yeux bandés tendit les mains et commença à tituber sur la pelouse. Ses camarades restaient hors de portée. L'une d'elles, néanmoins, se laissa toucher. L'autre s'arrêta, ôta son bandeau sans bruit et le lui passa. Le reste de la petite troupe s'était figé en attendant. Toujours près de son arbre, l'éducatrice surveillait attentivement la scène. Elle frappa encore dans ses mains.

– Qui êtes-vous ?

Batsheva pivota. Une petite fille aux cheveux roux, qui ne devait pas avoir plus de sept ans, la dévisageait avec gravité.

– Êtes-vous une gardienne ?

Elle s'exprimait dans un allemand parfait. Batsheva secoua la tête.

– C'est bien ce que je pensais. Vous êtes trop âgée.

La vieille femme sourit malgré elle.

– Je suis ici avec un ami. Je vais repartir.

– Vous avez de la chance.

Batsheva soupira.

– Comment t'appelles-tu ?

– Sura.

– Depuis combien de temps es-tu ici ?

– Un an, deux mois et quatre jours, déclara la fillette.

– Oh.

– L'année prochaine, je changerai de bloc, fit-elle en tendant le bras vers la Marktplatz. Je serai avec les grandes.

La vieille femme s'abstint de demander des détails. Certaines questions, l'avait prévenue Maurice lorsqu'elle avait évoqué sa rencontre avec le jeune Petr, ne valaient pas la peine d'être posées. La plupart, en fait. Où sont tes parents ? Pourquoi es-tu ici ? La majorité des enfants, avait-il ajouté, ne comprenaient pas leur situation, ni l'ampleur de la misère qui régnait autour d'eux. On ne pouvait souhaiter à leurs parents que de se trouver ailleurs, même si cet ailleurs signifiait « nulle part » (et n'était-ce pas le sort qui les attendait tous ?) : parce qu'être séparés d'eux au sein même de cette ville et les voir ainsi réduits à l'impuissance était la plus éminemment destructrice des douleurs.

– Ne soyez pas triste.

La vieille femme cligna des yeux. Un papillon à robe d'or folâtrait parmi les buissons, et la fillette le suivait des yeux avec une sorte de ravissement déchiré.

– Ne soyez pas triste, répéta la petite fille. Moi, un jour, je retournerai à Vienne quand la guerre sera finie, et je serai institutrice.

– Tu habites à Vienne ?

La fillette fronça les sourcils.

– Non, voyons ! J'habite ici, à Terezín.

– Mesdemoiselles !

La petite sursauta. L'éducatrice s'était détachée de son arbre et battait le rappel. Les fillettes gagnaient le centre de la pelouse.

– Je dois y aller, chuchota Sura d'une voix blanche. Je suis très heureuse de vous avoir rencontrée.

– Attends.

La main de Batsheva avait plongé dans sa poche pour en sortir la balle que Petr lui avait donnée.

– Tiens !

La petite considéra l'offrande avec scepticisme.

– Prends ça, regarde : c'est la Terre. Elle n'est pas très grande.

Sura jeta un coup d'œil au reste de la troupe et happa la balle sans dire un mot, puis la fit disparaître au fond de sa poche.

– Adieu.

Elle s'éloigna vivement et rejoignit ses camarades. Batsheva ne fit pas un geste. Par miracle, l'éducatrice ne l'avait pas remarquée.

CHAPITRE 25

Le front barré d'une ride de perplexité, Helmut Schäfer retournait entre ses mains une petite sculpture de bronze. Assis face à lui, les faux époux Saint-Simon, rongés par l'angoisse, attendaient qu'il se décide à prendre la parole. La statuette représentait un homme enserré par un serpent géant.

Maurice avait posé sa casquette sur ses genoux. La respiration de Batsheva – de petits reniflements saccadés – lui portait sur les nerfs.

– Bon, je pense que tout est en ordre, lâcha soudain l'officier.

La bouche du consul s'entrouvrit, mais il se refusa à sourire. On ne savait jamais avec les Allemands.

– Nous avons appelé votre ambassade, poursuivit Schäfer, et ils ont confirmé vos allégations. Toutefois, un léger problème subsiste.

Le cœur des faux époux se serra.

– Un... problème ?

L'officier plissa les paupières et se tourna vers Batsheva.

– Vous êtes juive, madame.

Ce n'était pas une question.

Soutenant son regard, la vieille femme ne répondit pas. Un vide mortifère venait de se creuser en elle. Partir, rester : tout lui était égal, désormais. Elle revoyait la tombe de son époux. Elle revoyait les années enfuies.

Maurice rompit le silence d'un petit rire forcé.

– C'est une plaisanterie, n'est-ce pas ?

– En est-ce une ?

Les mains du consul s'étaient crispées sur sa casquette. Lèvres tremblantes, il essayait de calmer les battements de son cœur. On aurait dit un poisson jeté sur un pont.

Batsheva fixait le SS sans sourciller.

– Monsieur l'officier, je ne comprends pas où vous voulez en venir. Je ne suis pas juive. C'est une absurdité.

L'homme caressa la tête du serpent et reposa la sculpture.

– Madame, répondit-il, je ne m'adressais pas à vous, mais à votre mari.

De ses doigts serrés, Maurice traça une raie dans ses fins cheveux gris. L'officier étouffa un bâillement.

– Allons, nous avons assez de problèmes ici. Des trains partent vers le Nord. Vous, vous avez une voiture.

Les faux époux le dévisageaient, ébahis.

– Ha, ha ! (Il se renversa sur son fauteuil et se tapota le ventre.) On prononce le mot « juif », et vous cessez de respirer. « Je ne suis pas juive ! » Croyez-vous que je ne sache pas reconnaître un Juif ? Ouvrez donc les yeux ! Les hommes sont des rapaces, les femmes des pleurnicheuses, les vieux marmonnent leurs prières absurdes et en appellent à un dieu qui ne les aime pas. Des primitifs, vous dis-je, uniquement poussés par l'égoïsme, l'instinct de conservation – et cette espèce de terreur abjecte qui leur tient lieu de conscience !

– Merci.

Schäfer haussa un sourcil.

– Je vous demande pardon, madame ?

Batsheva s'était levée.

– Si nous pouvons partir, nous aimerions le faire le plus rapidement possible. Viendrez-vous, Maurice ?

Le consul adressa un sourire affreusement gêné au SS. Ennuyé, celui-ci le congédia d'un revers de main. La vieille femme avait déjà quitté les lieux.

– Batsheva, je…

Le long de la Neue Gasse, une procession de jeunes filles avançait tête baissée. L'uniforme blanc avait disparu, remplacé par une sorte de blouse grise. Un soldat SS muni d'un nerf-de-bœuf exhortait les fillettes à la hâte.

– *Schnell* !

Arrivée au bout du bâtiment, la procession bifurqua vers la gauche. Plusieurs petites filles sanglotaient. Batsheva sentit la main de Maurice se poser sur son épaule. Elle tressaillit et avança à son tour.

– Au nom du ciel… souffla le consul, qu'espérez-vous…

Sur le trottoir d'en face, un vieil homme donnait de petits coups de balai sans relever la tête. Batsheva Mendelson marcha à sa rencontre.

– Où vont ces jeunes filles ?

Le vieux lui offrit un sourire édenté.

– À la gare.

– À la gare…

– Batsheva, venez…

Le consul l'avait rejointe. Il suivait la procession d'un œil anxieux.

– Il y a la petite Sura avec elles. Je veux savoir où ils l'emmènent. Je veux…

– Batsheva… (Maurice l'enveloppait d'un regard humide.) Batsheva, vous savez très bien où ils l'emmènent.

– Ne dites rien. Ne dites rien.

– Auschwitz.

Le vieux balayeur les observait avec un sourire hilare.

– Auschwitz, répéta-t-il, c'est là qu'ils vont tous. La vie est belle ici, nous ne manquons de rien, ils nous donnent du bouillon de poule et de la farine, et puis un jour, le jeu s'arrête, parce que c'est ainsi, les desseins de l'Éternel. Et nous allons au théâtre, aussi. Savez-vous jouer au football ? Aimez-vous les vitamines ? Les *knedlik*[1] – moi, j'en mange une douzaine à chaque repas. Quel est votre petit nom d'ange ?

Il s'agitait à présent, sautillait avec de curieux mouvements d'épaule, son balai toujours en main.

– Ils disent que les wagons offrent tout le confort souhaité. Ils disent que c'est un formidable voyage. Ils disent…

Cette fois, la prise du consul sur le bras de Batsheva se fit plus ferme, et il l'entraîna à l'écart. Appuyé sur son balai, le vieillard continuait joyeusement de pérorer.

Mais Batsheva n'en avait pas terminé. Se libérant de l'étreinte, elle se précipita vers la queue de la file.

1. *Boules de pâte.*

Le soldat SS qui marchait à reculons pour surveiller son groupe la regarda tranquillement approcher.

– Sura !

La petite rouquine sursauta et, sans lever les yeux, écarta une mèche bouclée de son front.

– Sura, que t'ont-ils dit, pourquoi t'emmènent-ils ?

– Je suis malade.

– Hé, vous !

Le garde SS arrivait maintenant à grands pas. La procession s'était arrêtée.

– Malade ? murmura Batsheva. Mais comment cela, avant-hier, tu allais très bien, ma chérie, ma petite, tu…

– Tenez.

Elle lui tendit quelque chose. Avant d'avoir pu comprendre, la vieille femme la vit s'éloigner. Elle ouvrit la main. La balle de ping-pong y reposait, bleue comme le monde.

– Hé !

Le soldat SS se posta devant elle.

– Pouvez-vous m'expliquer qui vous êtes et ce que vous faites ici ?

– Elle est avec moi, répondit le consul qui venait de surgir à ses côtés. Je travaille pour la Croix-Rouge, nous ne faisons que passer (il tira son portefeuille de sa veste)… J'ai là un sauf-conduit signé de la main même de l'officier Schäfer.

– D'accord, d'accord.

Le soldat opinait avec impatience. Le consul rangea son portefeuille. Sura regardait droit devant elle.

– Où vont-elles ?

– En Pologne, répondit le soldat impassible. Nous avons des problèmes de surpopulation ici, et ces enfants sont malades. Nous les envoyons dans un endroit plus approprié.

– Je croyais qu'il y avait un hôpital à Theresienstadt.

Le soldat eut un geste évasif.

– Je ne sais pas. Il n'est peut-être pas assez bien équipé.

– Vous exécutez les ordres, fit Batsheva en prononçant distinctement chaque mot.

Un sourire parut sur le visage de l'homme.

– Vous pouvez toujours les accompagner si vous ne me croyez pas.

Le consul secoua la tête, sans qu'il fût possible de savoir s'il déclinait la proposition ou émettait un jugement sur la conduite du soldat. Estimant la conversation terminée, celui-ci tourna les talons et aboya un ordre. La procession des fillettes s'ébranla de nouveau.

Prise de vertige, Batsheva la regarda s'étirer au loin jusqu'à ce qu'elle bifurque une fois encore, et disparaisse pour finir.

CHAPITRE 29

Ils arrivaient à Montreux, enfin. Les courbes noires des montagnes se dessinaient parmi les brumes et montaient du lac tels des fantômes.

Les mains serrées sur le volant, le consul regardait droit devant lui.

– Dites quelque chose, fit Batsheva à ses côtés. Dites quelque chose, je ne puis plus supporter de vous entendre pleurer ainsi.

– Pardonnez-moi.

Ils longeaient une vaste prairie ; l'herbe fumait sous la pluie et des nuages s'affaissaient, se disloquaient sous leurs yeux. Jamais la vieille femme n'avait vu un champ aussi vert.

– Garez la voiture.

– Quoi ?

– Arrêtez-vous. Je veux descendre.

Il hocha la tête, essuyant ses yeux rougis d'un revers de manche. Ils étaient seuls dans le jour finissant. Les Alpes hautaines n'appartenaient à personne. Enfin, le bruit du moteur cessa. La vieille femme ouvrit sa portière et se pencha pour vomir sur le bas-côté. Puis elle s'extirpa. Maurice, lui, s'était transformé en statue. Batsheva tituba jusqu'à sa portière et abattit son poing sur la vitre. Elle était livide.

– Sortez !

Il s'ébroua violemment, comme pour chasser les pensées qui empoisonnaient son esprit. Puis il mit un pied à terre, lui attrapa le bras, vacilla dans l'herbe et s'éloigna. Très vite, le bas de son pantalon fut trempé. Par-delà le rideau de pluie, une vache énorme et indolente avait relevé la tête. Lorsqu'il s'arrêta au milieu du champ, elle se remit à brouter. Passant ses mains dans ses cheveux, il en attrapa deux pleines poignées et tomba à genoux. Appuyée à la voiture, Batsheva le suivait du regard en essayant de reprendre son souffle. Jour après jour, ses forces la quittaient. « Un matin, songea-t-elle, un matin très proche, je ne pourrai plus me mettre debout. »

Mais ce matin n'était pas encore venu. Enjambant le fossé, elle s'avança à son tour. Des bourrasques de pluie lui fouettaient le visage ; elle ne les sentait pas. Parvenue à hauteur du consul, elle se laissa choir à son tour.

– À l'heure qu'il est, dit-elle d'une voix ferme, la petite Sura doit être morte. J'espère que ça a été rapide.

Il se tourna vers elle. Son visage était une vallée de larmes.

– Vous ne savez rien.

– J'en sais assez pour savoir que je n'ai pas besoin d'en savoir plus.

Tête baissée, le consul avait posé ses mains dans l'herbe. Il paraissait rassembler ses forces en prévision d'un dernier combat.

– Schäfer avait deviné. C'était un démon, poursuivait l'homme d'une voix blanche. Il savait qui je cherchais, ce que Hilek était pour moi. Il savait aussi que vous étiez juive.

– Quoi ?

Il se redressa en grimaçant. Son corps maigre et voûté ressemblait sous l'averse à une défroque d'épouvantail.

– Quand nous sommes passés dans son bureau, le dernier jour, j'ai cru que tout était perdu : qu'il avait retourné sa veste. Cela ne m'aurait pas réellement surpris, pour être franc.

Batsheva se releva à son tour. Ils ruisselaient tous les deux.

– Je ne comprends pas… fit-elle.

Posant ses mains sur ses épaules, il plongea son regard dans le sien.

– J'ai dû passer un marché. Pour qu'ils vous laissent tranquille.

– Un marché ?

Il la lâcha, fit un pas de côté. Elle le rattrapa, insista :

– Maurice ? Quel marché ?

Il pleurait, il pleurait depuis des heures, et ses larmes se mêlaient aux larmes du ciel. Un rictus affreux déforma son visage.

Il tituba, s'effondra.

– J'ai… Oh, Seigneur ! Je ne pourrai jamais me le pardonner.

Elle retomba à ses côtés et passa une main sur son visage, doigts ouverts, recourbés, comme si elle avait voulu lui arracher son secret. Il ne semblait même plus se rendre compte de sa présence.

Il se releva. Elle enserra ses jambes, fermement, il ne bougea plus, et ils demeurèrent ainsi pendant un long moment, anéantis et inertes, décidant sans se le dire que c'était bien la meilleure chose à faire, la seule chose, en définitive, avant que la nuit ne vienne et ne les engloutisse pour de bon.

CHAPITRE 30

Elle patientait à l'arrière de la voiture ; seule sur la banquette de cuir noir, son châle serré sur ses maigres épaules. Zurich, lui avait expliqué Maurice. Puis l'on mettrait le cap sur la Suède et, de là, un navire de transport… Le chauffeur se retourna.

– Pensez-vous qu'il viendra ? Il est dix-sept heures, madame.

– Ne peut-on attendre encore un peu ?

– Je voudrais bien. Mais j'ai des ordres stricts.

La vieille femme ferma les yeux puis ouvrit sa portière et sortit sur le trottoir face au Montreux Palace. Au quatrième étage, la fenêtre de la suite où ils venaient de passer une semaine entière avait été fermée, et les rideaux tirés. Elle tapota à la vitre avant. Le chauffeur se pencha.

– Donnez-moi une minute.

L'homme acquiesça puis arrêta le moteur. Avisant un réceptionniste, Batsheva se dirigea vers le grand hall. Pour la troisième fois, elle lui demanda d'appeler la chambre du consul – ce qu'il fit avec un soupir, sans plus de succès que lors de ses deux premières tentatives. Passant sa langue sur ses lèvres, la vieille femme pianotait sur le comptoir. Maurice avait été formel sur l'heure du rendez-vous. Il lui avait aussi recommandé de quitter Montreux sans lui au cas où il ne se montrerait pas. « Tout a été organisé, l'avait-il rassurée. Vous n'aurez à vous occuper de rien. »

– Madame ?

Le réceptionniste venait de se rendre compte que la clé ne se trouvait pas sur le panneau. Batsheva le rassura : le consul avait l'habitude de l'emporter avec lui lorsqu'il sortait. Le remerciant, elle ressortit à petits pas. Le chauffeur éteignit sa cigarette.

– S'il vous plaît.

Il lui tenait la portière ouverte. Le cœur brisé, elle se glissa de nouveau à l'intérieur. Cette fois était la bonne.

Une minute plus tard, elle se retournait pour regarder disparaître l'hôtel.

– Maurice, siffla-t-elle entre ses dents, Maurice, *gai in drerd arein,* nous devions terminer ce voyage ensemble…

❁

Allongé sur son lit, les yeux grands ouverts, le consul semblait fixer le plafond. Peut-on partir aussi loin ? L'infernale rumeur du monde avait cessé de le tourmenter. Enroulé dans un chiffon taché de sang, le Mauser 1934 dont il s'était servi était tombé au pied du lit.

Alarmée par la détonation, une femme de ménage avait frappé à la porte. En l'absence de réponse, elle s'était abstenue d'entrer. Que convenait-il de faire en pareil cas ? D'une fenêtre voisine, elle avait vu une voiture noire s'éloigner. Elle s'était rappelé cet étrange couple, alors, la vieille femme épuisée aux yeux sans cesse humides et cet homme si digne au visage toujours grave. Tout le malheur du monde, avait-elle songé. Passant un coup de plumeau sur la commode, elle s'était surprise à souhaiter qu'ils s'en fussent allés et qu'ils eussent enfin trouvé ce qu'ils cherchaient – quoi que ce fût. Puis, comme elle avait beaucoup de travail, elle avait cessé d'y penser.

FIN

Ainsi se termine le récit de l'homme qui se faisait appeler « le consul ». Dans le dernier chapitre, l'auteur-narrateur va jusqu'à mettre en scène son propre suicide, imaginant que Batsheva part sans lui.

En épluchant les archives du Montreux Palace et des autorités locales, je parviens sans peine à établir que les choses se sont passées différemment. Oui, Maurice de Saint-Simon s'est bien donné la mort par balle dans sa chambre. Mais non, Batsheva n'est pas partie sans lui, – et il devait savoir qu'elle ne le ferait pas. Après quelques pourparlers houleux, la vieille femme a dû obtenir que l'on ouvre la porte de sa chambre. C'est en sa présence, en tout cas, que le corps a été trouvé : un rapport de police le certifie. Se sachant en relative sécurité, Batsheva a signé sa déposition de son vrai nom. Pour éviter d'être mêlée de façon plus approfondie à l'enquête, elle s'est présentée comme une simple amie de la victime ; on l'a laissée rapidement repartir. La voiture que Maurice de Saint-Simon avait mise à sa disposition l'a peut-être attendue ; rien ne permet de l'affirmer. On peut toutefois supposer que c'est grâce à l'aide posthume de son ami que Batsheva parvient à gagner Zurich et de là, le lendemain, Göteborg.

Désireux d'en apprendre plus sur le mystérieux consul, je m'efforce de retrouver la trace d'Anabell. Las ! En 1995, elle est morte depuis déjà huit ans. Par chance Ulrich Faber, le nouveau propriétaire de sa maison de Schenectady (État de New York) est aussi son demi-frère, né de la même mère. Faber ne possède aucun lien de parenté directe avec les Saint-Simon, mais il a sur l'affaire d'autres lumières qu'Anabell, et il sait des choses que ni Leah ni Ralph ni Walter ne soupçonnent.

« *En vérité, me confie-t-il, l'oncle d'Anabell avait rencontré Batsheva plusieurs mois avant leur départ pour l'Europe. C'était l'ami d'une amie, croisé dans un club de bridge de Beverly Hills. Il semble que Maurice et elle aient beaucoup parlé cet après-midi-là et qu'ils soient restés en contact ensuite – Batsheva devait détenir une adresse poste restante. J'ignore quand et en quelles circonstances est né le projet de partir en Europe mais ce que je peux vous dire, c'est que Batsheva n'a pas demandé à son petit-fils de la conduire à Atlantic City par hasard. Ils s'étaient donné rendez-vous là-bas. Maurice avait déjà fait fabriquer les faux papiers, les places à bord du* Queen Mary *étaient réservées de longue date, etc. La seule raison qui le poussait à revenir en Europe, c'était son amant – le fameux Hilek. Les deux hommes avaient vécu une histoire d'amour passionnelle au tournant des années trente, et l'affaire s'était très mal terminée. Désormais, Maurice n'aspirait plus qu'à retrouver celui qui l'avait aimé, et que lui aimait toujours. Batsheva était la complice, la compagne de voyage, le moteur de l'histoire. Elle voulait se rendre à Vienne, mais elle ne pouvait entreprendre le voyage seule. Lui avait besoin d'elle à Theresienstadt, besoin de son soutien moral : tels étaient, de son point de vue, les termes de l'accord. Évidemment, il ne les a pas présentés ainsi à Batsheva. C'était un homme fin et bienveillant, mais il avait un côté truqueur. Quand il a appris que son amant avait été envoyé à Auschwitz, il n'a plus pensé qu'à une chose : mourir. Le sort de Batsheva lui importait, son récit le prouve, mais pas au point de différer ses projets et de rentrer avec elle en Amérique. Il a fait en sorte qu'elle ne manque de rien, que son avenir soit assuré. Il a mis un point final au roman de sa vie, en inventant un peu la fin. Puis il s'est tiré une balle dans la tête. »*

Quelques jours sur Terre encore

CINQ MOIS APRÈS SON RETOUR À LOS ANGELES, Batsheva a perdu vingt kilos et est sujette à des évanouissements de plus en plus fréquents. À la mi-décembre, elle est admise à l'hôpital Cedars of Lebanon de Fountain Avenue, non loin du Sunset. Le diagnostic ne tarde pas à tomber : cancer du foie avec métastases.

« *Elle savait ce qui se passait, explique Leah, mais nous savions aussi qu'il était inutile d'en parler avec elle. Selon les médecins, l'évolution pouvait être assez lente. Je leur ai demandé ce qu'ils entendaient par "lente", et ils ont paru gênés. Quelques mois, ont-ils répondu, plusieurs années au mieux. Nous n'étions guère avancés. Des séances de radiothérapie ont été proposées. Il ne s'agissait pas de guérir mais de retarder l'évolution du*

The cancer is spreading Leah informs me, and there's nothing much the doctors can do for our mother, apart from relieving her pain. My soul is in the clutches of a lifelong apprehension. How will we manage to live without her ?

JOURNAL INTIME DE DAVID. *Le cancer progresse, m'apprend Leah, et il n'est plus grand-chose que les médecins puissent faire pour notre mère, à part soulager ses douleurs. Mon âme s'emplit d'une appréhension très ancienne. Comment allons-nous vivre sans elle ?*

*mal. J'ai donné mon accord sans hésiter. Il s'est hélas avéré que notre mère supportait mal le traitement. Nous avons tout arrêté et nous l'avons ramenée chez nous. C'était l'hiver, un hiver très doux. Je me rappelle le sourire de ma mère lorsqu'elle a retrouvé la maison et les enfants. Shirley et Alfred avaient beaucoup d'affection pour elle. Quant à Doris… inutile de vous faire un dessin. Les derniers mois ont été aussi paisibles que possible. Parfois, notre mère regardait le soleil en face, et ses lèvres remuaient faiblement. "*A sof. A sof. *Assez, finissons-en." Mais cela ne durait jamais longtemps. Un papillon voletait dans un rayon de lumière, ou bien Shirley grimpait sur ses genoux pour lui caresser les cheveux, et son sourire revenait alors, aussi fragile qu'une aurore.* »

Pour soulager des douleurs devenues intolérables, un médecin prescrit à la demande des dérivés morphiniques. Doris installe un lit de camp dans la chambre de sa grand-mère.

« *Effectivement, lâche-t-elle, nous avions développé un lien très intense, elle et moi. Mais c'était une histoire de vie, pas de mort. Nous discutions énormément : de sa vie à Moscou, à Odessa, à Vienne – Vienne revenait sans cesse sur le tapis. Je lui lisais les journaux, également. L'Europe libérée, pays par pays. On aurait dit qu'elle attendait la fin de la guerre pour mourir.* »

Batsheva verra la fin de la guerre, et même le terme de l'année 1945. Puis elle vivra deux mois encore.

« *Un beau jour, me confie Leah, j'ai reçu un appel de mon frère. Il savait que l'état de notre mère s'était aggravé, et il savait aussi ce qu'elle attendait de lui. Il a poussé un soupir, comme si tout cela l'ennuyait un peu. "Petite sœur, a-t-il enfin annoncé : je vais me marier." Il a dû entendre mon sourire au téléphone. Il n'avait pas son pareil pour prendre un air détaché. "Oui, enfin, tu sais : ça ne changera pas grand-chose." Au fond de lui, cependant, je savais qu'il était heureux, profondément. Il avait trouvé la paix avec Helena. Elle était l'unique, la parfaite. Je lui ai demandé si une date avait été fixée. Il m'a dit oui : dans deux semaines. "Venez tous à New York", a-t-il ajouté. Roy avait un colloque très important à ce moment-là, mais il s'est débrouillé pour le faire annuler. Je suis allée à la gare pour prendre des billets de train parce que je savais que notre mère ne supporterait jamais un autre voyage en voiture. À mon retour, elle était allongée sur un transat dans le jardin. "Ta fille m'a tout raconté", a-t-elle chuchoté. Cela voulait dire "Doris". Elle s'est relevée, péniblement, et sa main a trouvé la mienne. Elle était si frêle, si fragile ! J'ai ressenti une peine immense à l'idée qu'elle allait bientôt nous quitter. Ah,* a nechtiker tog[1]. *Une lueur secrète brillait dans ses yeux. "Toi et ton frère avez été de braves enfants, a-t-elle déclaré d'une voix plus ferme. Tâchez d'être d'aussi bons parents." J'ai voulu répondre mais elle m'a chassée d'un revers de main, comme elle savait si bien le faire. Il n'y avait rien à ajouter.* »

Le mariage a lieu le 19 février à New York. Il est célébré à la synagogue d'Eldridge Street, dont la communauté n'en finit pas de se clairsemer, par un rabbin dont le nom s'est malheureusement perdu.

Debout sous la *h'ouppa* – un dais nuptial décoré de broderies –, le vieil homme encourage David et sa mère à le rejoindre. Se présentent ensuite Leah, ses deux fils, puis Doris, Shirley et Alfred, et Roy. Enfin, c'est la mariée qui est invitée et s'arrête à quelques pas en attendant que son époux vienne la recouvrir.

« *Nous étions tous très surpris, et si heureux, raconte Leah. Ils avaient préparé cette cérémonie dans les moindres détails sans jamais nous en parler. Quand mon frère a brisé le verre sous son pied, vous savez ? Quelque chose a cédé en moi. Je me suis vue telle que j'étais, sans doute : une femme dénuée de piété, une Américaine sans cervelle perdue entre deux âges. Helena, elle, allait sur ses trente-cinq ans. Qu'avaient été mes deux mariages ? Oh, j'étais plutôt heureuse avec Roy, mais soudain j'ai terri-*

---

1. « *Oublions ça.* »

blement regretté de n'avoir pas suivi la voie de mon frère – moi qui avais fréquenté le rabbin des stars, moi qui m'étais piquée d'apprendre le yiddish. Les larmes me sont montées aux yeux quand David a tendu l'anneau à sa femme. Où était la place de Dieu dans ma vie ? Où résidait la force de mon engagement ? Ce jour-là, ma belle-sœur – béni soit son nom – a su trouver les mots. "De cette famille, m'a-t-elle dit, tu es l'échine et la vigueur. Ne l'oublie jamais." Elle m'a redonné de la force. Je la découvrais en tant que femme et en tant que Juive, vous comprenez ? Nous sommes devenues les meilleures amies du monde. (Elle s'essuie le coin de l'œil d'un mouchoir.) *Oui, une journée merveilleuse : l'espoir était revenu. Nous étions réunis, et plus juifs que jamais. Oh, bien sûr, ces imbéciles de Ralph et Walter ne se parlaient pas encore beaucoup. Mais cette célébration à laquelle nous avions été conviés, c'était plus qu'un symbole : c'était une renaissance. Des odeurs suaves montaient au-dessus de Central Park. Le ciel était d'azur. Nous sommes rentrés chez David et nous avons investi la cour intérieure pour la* seoudat mitzva[1]. *Il y avait des fleurs partout, il y avait un violoniste que Roy avait payé et qui jouait de vieux airs klezmer. Nous avons dansé et récité les actions de grâce. Les enfants étaient beaux comme des anges dans leurs costumes. Ma mère était folle de joie, elle battait des mains tout le temps. À un moment, elle a suivi Shirley du regard : "Un des plus grands mystères de l'existence est de comprendre comment le garçon qui n'était pas digne d'épouser votre fille a pu devenir le père de la plus belle petite-fille du monde." Nous avons tous éclaté de rire, et Roy le premier. Difficile de vous donner une idée du bonheur qui était le nôtre. Ah, je me sens comme elle aujourd'hui. Aux portes du*

---

1. *Dans la tradition juive, repas donné après une cérémonie religieuse.*

royaume. Il faut profiter de l'existence, vous savez ? Jusqu'à la dernière goutte. (Elle se tait, songeuse.) *Il y a eu ce moment solennel où nous avons soulevé les mariés sur leurs chaises. Ensuite, je ne sais plus. Le vin m'était monté à la tête.* »

L'union de David et Helena scelle-t-elle pour les Mendelson l'entrée dans une ère nouvelle, les constitue-t-elle en tant que famille juive ? Il est permis de le penser.

Doris : « *J'étais jalouse de leur mariage. Et si heureuse. Au-delà de leur foi, de la foi retrouvée de mon oncle, c'était un cadeau qu'ils nous faisaient, une façon de dire : "Voyez qui nous sommes, collectivement, ne reniez rien." En ce qui me concerne, je n'ai jamais oublié cette fête. Naturellement, je ne me suis pas mise à fréquenter la synagogue avec assiduité du jour au lendemain. Mais un changement s'est produit en moi, un changement d'une importance capitale ; je me suis souvenue que j'étais juive.* »

Ralph : « *Je n'allais pas très bien à cette époque. J'ignorais ce que je voulais faire de ma vie. La foi m'avait quitté, bel et bien. J'étais devenu un adulte sans but, et la lecture de la Torah n'éveillait plus le moindre écho en moi. J'étais perdu. Plus tard, au Vietnam, lorsque j'ai fait la paix avec mes années de jeunesse, j'ai compris que tout avait commencé ici, dans cette lumière. Le mariage de mon père m'a permis d'ouvrir les yeux, de faire le tri entre mes aspirations. Je suis un Mendelson. Rien n'est jamais simple avec nous.* »

Alfred : « *J'étais petit mais je me souviens de presque tout. Je me souviens d'avoir pris conscience que nous étions une famille, et pas n'importe laquelle. Un tourbillon de danses, de vivats, la* hora *– tout le monde se tenait par la main, je criais* *comme un fou, Walter jouait du cymbalum, de l'accordéon, il sautait dans tous les sens,* mazel tov*! Suis-je devenu juif ce jour-là ? En tout cas, j'ai commencé à poser une foule de questions à mes parents. Les pauvres, ils ont dû prendre peur. Oh non ! Encore un mystère !* (Rires.) »

Logés dans un hôtel voisin, Leah et les siens demeurent dix jours encore à New York. Un second banquet est organisé, dans une salle louée cette fois par Roy. À cette occasion, une surprise de taille est réservée à la famille : à l'insu de leurs proches, Roy et David ont fait l'acquisition d'un vaste terrain constructible à Greenwich, dans le New Jersey. «*Aux abords de la baie du Delaware, écrit David dans son journal, s'étend une région de roseaux, d'eaux calmes et d'aurores splendides. C'est là que je mourrai un jour.* » Paroles prophétiques mais très prématurées.

Pour d'obscures raisons administratives, il faudra attendre dix ans de plus avant que la première pierre de la future Maison Mendelson, refuge de la famille tout autant que quartier général, soit bel et bien posée. Mais les fondations sont là. En 1946, jamais la lignée n'a paru aussi unie.

Des toasts sont portés. On évoque les projets de chacun. Walter travaille toujours pour l'armée, Doris fréquente toujours l'université, Ralph songe à y revenir, Roy et David se trouvent au faîte de leur carrière, Helena monte en grade au *New York Times*, Leah hésite sur le tour à donner à son existence. Alfred et Shirley, eux, sont trop jeunes encore pour se poser ce genre de questions. Inscrits dans une école

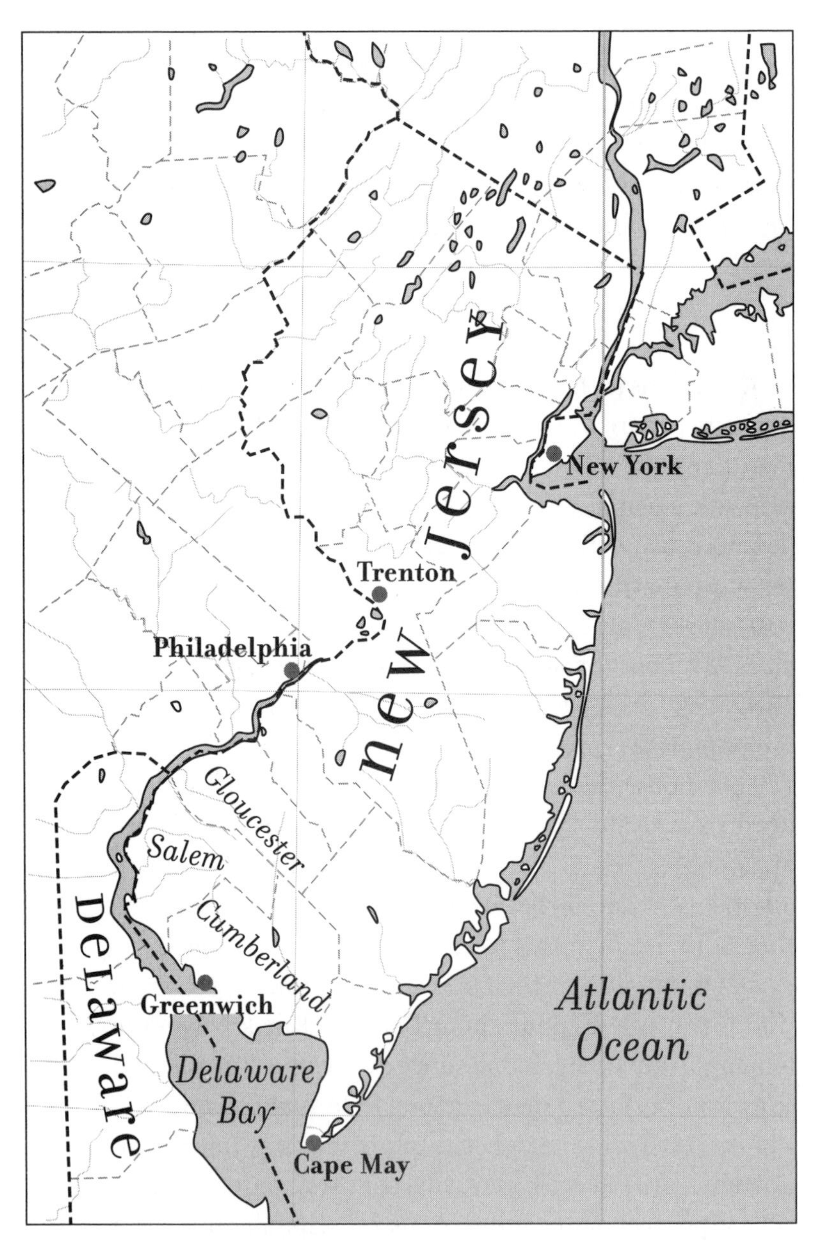

Carte de l'emplacement de la future maison Mendelson, à Greenwich.

privée, ils mènent une existence tranquille et privilégiée sur les hauteurs de Los Angeles.

Et Batsheva ?

Dans le train du retour, la vieille femme regarde passer les plaines, le vent fléchir les herbes hautes. Puis le désert s'annonce : une féerie d'ocre et de rocailles qui, au coucher du soleil, se pare de reflets empourprés. Assise à ses côtés, Doris tient sa main ridée dans la sienne. « Tout va bien, grand-mère ? » Batsheva hoche la tête. Là-bas, aux côtés d'un rocher, elle a vu son époux qui lui adressait un signe. Doucement, elle pose son front contre la vitre et laisse ses paupières se fermer. Pourquoi continuer à respirer ? Tout est bien. Immensité, abandon, magie douce – la vie n'est qu'un songe mais, je t'en prie, ne me réveille pas.

1946-1965

ÉCLOSIONS

INHUMÉE AU HOME OF PEACE, beau cimetière juif de Whittier Boulevard, Batsheva Mendelson lègue quarante mille dollars à sa descendance : une somme conséquente (que l'on pourrait aisément multiplier par dix aujourd'hui) provenant, en grande partie, de placements consécutifs à la revente du fonds d'horlogerie viennois.

Bien qu'elle n'ait jamais manifesté une grande passion pour les questions religieuses, il semble, à en croire Leah, que les dernières semaines de l'existence de sa mère aient été placées sous le signe de l'étude et du recueillement. « *À l'approche de l'autre monde, voyez-vous, elle était devenue une* shoymer mitzves[1]. » Comme un symbole, le service funéraire

---

1. « *Une personne pieuse.* »

est assuré par le rabbin Magnin en personne. Dans la grande villa de Beverly Hills, une chandelle commémorative est allumée et les miroirs sont couverts de papier. Le kaddish, la prière des morts, est récité trois fois quotidiennement pendant une semaine : par Doris, et par sa mère. « *De nouveau, raconte la vieille femme, je me sentais juive à cause de quelqu'un d'autre.* »

Interrogées en 1997, peu de temps après la disparition de Shirley, Leah et sa fille reviennent avec nous, dans cette interview au long cours, sur le destin de la famille Mendelson après la mort de sa matriarche.

Leah, le deuxième tome de *La Saga Mendelson* s'arrête en 1965, mais j'ai le sentiment que, sur un plan strictement familial, les années qui suivent la fin de la Seconde Guerre mondiale, jusqu'au milieu des sixties, sont légèrement moins riches en événements que celles qui ont précédé et celles qui ont suivi. Partagez-vous cette réflexion ?
(Elle réfléchit.) A bisel. *Un peu. Surtout si vous parlez de moi et de mon frère. Il me semble que nos enfants ne se sont pas ennuyés au cours des années cinquante.*

Ce n'est pas ce que je voulais dire. Mais avec la mort de Carmen et le voyage de votre mère en Europe, vous avez été copieusement servis en drames, non ? Par comparaison, la période à laquelle nous faisons allusion paraît plus tranquille.
Oui, si l'on fait abstraction de la mort de Debra. Et en ce qui concerne l'après-guerre, vous oubliez Harry.

Je parlerai de Debra plus tard ; en fait, à ce stade, nos lecteurs ne savent pas encore qui elle est. En ce qui concerne Harry... Je sais seulement qu'il a succombé à une sorte de cirrhose. Pouvez-vous nous en dire plus ?
Nous avions pratiquement cessé de nous voir. Lui et Roy se donnaient vaguement des nouvelles. Harry avait trouvé une petite amie – une actrice de seconde zone. Pendant la guerre, il avait parlé de se marier, et puis, début 1945, Roy m'a appris qu'il était très malade. Il m'a demandé si je voulais lui rendre visite, à Santa Monica. Je lui ai retourné la question : Harry tenait-il à ce que je vienne ? Il s'est avéré qu'il n'y tenait pas, pas vraiment. Roy avait racheté sa part de la villa, et on ne pouvait guère parler d'amitié résiduelle, voyez-vous. Nous n'avions plus aucune raison de nous parler – à part Doris.

Doris, je vous vois tiquer ?
Moi, le nom même de mon père me donnait des boutons. J'en avais trop vu, trop entendu. À mes yeux, Harry n'était plus mon père. Il m'avait abandonnée.

Leah n'est pas d'accord.
Harry n'avait pas abandonné Doris. Il venait la voir de temps à autre.

Doris ?
Je ne m'en souviens pas.

Vraiment pas ?
Vous savez, j'ai toujours considéré Roy comme mon père, et Alfred et Shirley comme mon frère et ma sœur. Harry ne s'était

presque jamais occupé de moi quand j'étais petite, voilà ce que je voulais dire. Je ne garde aucune amertume de cette période. J'ai été heureuse, je n'ai manqué de rien et, grâce à Dieu, j'ai été bien entourée.

Leah, Harry est mort en décembre, c'est bien ça ?
Oui. Roy se trouvait avec lui. Son frère l'avait appelé, il ne se sentait pas bien. Il est tombé dans le coma peu de temps après son arrivée et il ne s'est pas réveillé. Les médecins ont conclu à une insuffisance hépatique aiguë.

Qu'avez-vous éprouvé à l'annonce de sa disparition ?
Du chagrin, que croyez-vous ? Pour lui, pour nous, pour ce que nous avions échoué à construire. Vous savez ce que disent les Juifs : un divorce est une amputation. On ne se coupe pas un membre parce qu'il fait mal. On se le coupe parce qu'il devient dangereux et insupportable de vivre avec, qu'il n'y a plus rien à espérer. Mon divorce n'a pas été une erreur. C'est mon mariage qui en a été une.

Si vous le voulez bien, j'aimerais revenir avec vous deux sur les principaux événements historiques ayant rythmé cette période. Commençons avec la fin de la guerre, la capitulation japonaise. Comment avez-vous vécu tout cela ? Leah ?
Hiroshima m'a horrifiée. Des cauchemars sans fin. Et, après cela, la terreur de la bombe, les exercices d'alerte dans les écoles, le communisme et de la paranoïa... Vous voulez parler des années cinquante ? En 1947, quand il avait un peu trop bu, Roy prétendait qu'il se sentait communiste et qu'il allait écrire

"All the News That's Fit to Print"

The New York Times.

LATE CITY EDITION

NEW YORK, TUESDAY, AUGUST 7, 1945.

FIRST ATOMIC BOMB DROPPED ON JAPAN;
MISSILE IS EQUAL TO 20,000 TONS OF TNT;
TRUMAN WARNS FOE OF A 'RAIN OF RUIN'

HIRAM W. JOHNSON, REPUBLICAN DEAN IN THE SENATE, DIES

Jet Plane Explosion Kills Major Bong, Top U.S. Ace

KYUSHU CITY RAZED

Kenney's Planes Blast Tarumizu in Record Blow From Okinawa

REPORT BY BRITAIN

'By God's Mercy' We Beat Nazis to Bomb, Churchill Says

Steel Tower 'Vaporized' In Trial of Mighty Bomb

NEW AGE USHERED

Day of Atomic Energy Hailed by President, Revealing Weapon

ROCKET SITE IS SEEN

125 B-29's Hit Japan's Toyokawa Naval Arsenal in Demolition Strike

ROOSEVELT AID CITED

Raiders Wrecked Norse Laboratory in Race for Key to Victory

HIROSHIMA IS TARGET

'Impenetrable' Cloud of Dust Hides City After Single Bomb Strikes

MORRIS IS ACCUSED

CHINESE WIN MORE

ATOM BOMBS MADE

TRAINS CANCELED

UNE PREMIÈRE BOMBE ATOMIQUE EST LÂCHÉE SUR HIROSHIMA. LE *NEW YORK TIMES* REND COMPTE DE L'ÉVÉNEMENT AVEC SA RÉSERVE HABITUELLE.

une lettre à la Commission de la Chambre sur les activités antiaméricaines pour exiger la sanctification de Dalton Trumbo[1]*, dont il était un fervent admirateur.*

Vraiment ? Personne ne m'a parlé de ça.

(Elle ricane.) *Secret de famille. Roy était un homme plein de surprises.* (Doris hoche vivement la tête.) *Pour en revenir à la fin de la guerre, l'armistice a été salué chez nous avec le soulagement qu'on imagine. J'ai dit « soulagement », et pas « joie ». Le soir du 2 septembre 1945*[2] *fut un soir comme les autres. Cette guerre avait causé tant de pertes et de souffrances que nous n'avions guère le cœur à nous amuser.*

---

1. *Scénariste, réalisateur et écrivain américain (1905-1976), à qui l'on doit notamment le film* Johnny s'en va-t-en guerre. *Il a été l'un des « Dix de Hollywood », convoqués en 1947 et accusés d'appartenir au Parti communiste. Il a été condamné à onze mois de prison.*

2. *Le 15 août 1945, l'empereur Hirohito, annonce la reddition de son pays. La capitulation est signée le 2 septembre 1945 dans la baie de Tokyo à bord du navire* Missouri, *en présence du général MacArthur.*

1947 : adoption par les Nations unies de la résolution 181 prévoyant le partage de la Palestine en un État juif et un État arabe. Doris ?
J'ai eu des discussions assez houleuses avec mon beau-père au moment de la guerre de 48. C'était le sujet à ne surtout pas mettre sur la table si nous voulions passer une soirée tranquille.

Leah, vous confirmez ?
Doris était très susceptible. Elle n'avait que le mot « Shoah » à la bouche. Pour elle, la Shoah justifiait tout, même l'emploi de la force, même la guerre.

Ce n'est pas un avis que vous partagez…
S'art eich ? *Est-ce que ça vous importe vraiment ?*

Eh bien, je pense que ça me permettrait de mieux cerner votre rapport au judaïsme.
Mon rapport au judaïsme a toujours été fluctuant, vous le savez très bien, et il l'est d'ailleurs encore aujourd'hui. C'est un trait familial, et c'est un trait américain. D'un côté, nous avons évité comme la peste les mouvements réformateurs – je pense à la yachiva *de Ralph et de Walter, plutôt orthodoxe – et, de l'autre, nous avons quasiment perdu la foi par intermittence. Mais je crois que nous nous écartons du sujet, non ? Nous parlions d'Israël. Moi, je juge ces choses sur le long terme. Seul le long terme sauvera Israël, le temps qui érode et apaise. Longtemps, la version officielle a été que les Israéliens avaient affronté le monde arabe à eux seuls et ne portaient aucune responsabilité dans l'exode palestinien. Aujourd'hui, même Doris a changé d'avis là-dessus.* (L'intéressée lève les yeux

July 20, 1950
Heated discussion with Doris over the phone.
My niece has informed us of her intention to
emigrate to Israel! 'I'll settle there alone,
of course. I do not expect anything from you
that would upset the design of your comfy
American lives.' I would have answered that,
but she didn't give me the opportunity: for two
or three minutes I simply held the receiver at
hearing distance.

JOURNAL INTIME DE DAVID. 20 JUILLET 1950. *Vive discussion avec Doris au téléphone. Ma nièce nous fait part de son intention d'émigrer en Israël ! « Je m'établirai seule, bien entendu. Je n'attends absolument pas de vous que vous bouleversiez l'ordonnancement de votre cher confort américain. » J'ai voulu répliquer mais elle ne m'en a pas laissé le temps : pendant deux ou trois minutes, j'ai simplement tenu le combiné à distance.*

au ciel.) *Il n'empêche que, lorsque la loi du Retour*[1] *a été votée, en 1950, elle nous a demandé à mon frère et à moi pourquoi nous n'envisagions pas de nous établir en Israël – elle qui, entre parenthèses, n'avait jamais posé un pied hors du territoire américain.*

Doris, c'est à votre tour de contester ?

(Elle a un geste évasif.) *Non, non. Il nous faudrait des heures. Je suis une femme complexe moi aussi, je le revendique :*

---

1. *Loi qui autorise tout Juif, ou membre de sa famille, à émigrer en Israël.*

le creuset idéal de toutes ces contradictions typiquement Mendelson. Vous écrirez un autre roman sur moi, un jour, non ?

Hum. Il faudrait d'abord que j'en discute avec mon éditeur. En attendant, revenons aux événements… Les accords de paix signés entre Israël et les pays arabes ?
(Doris sourit.) *Le retour du calme à la maison !*

La proclamation par Mao de la République populaire de Chine ?
Eh bien, je pourrais vous en parler longuement puisque, comme vous le savez, je suis partie en Chine avec Walter. Mais je pensais…

Vous avez raison. Cela fera l'objet d'une autre longue et fastidieuse discussion. Voire d'un autre livre.
Voilà ! Encore un ! (Nous rions tous deux.)

En fait, je parlerai de cet épisode dans le troisième tome.
Ah. Oui, bien sûr.

La guerre de Corée, Leah ?
Personnellement, je m'en souviens à peine. Walter n'était plus concerné, Ralph ne l'avait jamais été, alors…

Les époux Rosenberg[1] ?
Oy vay[2] *! J'ai pleuré trois jours lorsqu'ils ont été exécutés, ces deux-là ! Ils laissaient deux fils derrière eux, quelle tragédie !*

---

1. Julius Rosenberg et son épouse Ethel sont un couple de Juifs new-yorkais communistes accusés d'avoir espionné leur pays pour le compte de l'URSS dans le contexte particulièrement tendu de la guerre froide. Arrêtés en 1950, ils ont été exécutés sur la chaise électrique trois ans plus tard.
2. « Mon Dieu ! »

Vous les pensiez innocents ?
Pas aussi coupables qu'on a bien voulu le dire, en tout cas. Sans compter qu'il n'y avait aucun Juif dans le jury.

Mais le juge était juif, lui.
Vous l'avez dit. Personne ne nous arrive à la cheville lorsqu'il s'agit de nous condamner nous-mêmes.

Leah, avec le recul, comment qualifieriez-vous ces années cinquante ?
Oh, que vous êtes tuant avec cette manie de tout vouloir synthétiser ! Quoi, la crise du canal de Suez ? La révolution cubaine ? Ralph lisant Playboy *? Oh, je vous rassure, il ne s'intéressait qu'à ce roman de Ray Bradbury publié en feuilleton.* (Elle rit.) *Seigneur, je suis incorrigible, et vous encore plus.* (Feignant la consternation, Doris secoue la tête.) *Sinatra pour moi, Elvis Presley pour les jeunes. J'en oublie ? Bien sûr que j'en oublie. Moi, j'écoutais surtout Patti Page et Kay Starr. Le jour où nous sommes allés voir* L'Équipée sauvage *avec Marlon Brando. Tu t'en souviens ?* (Doris opine.) *Et* L'Attrape-cœur *acheté pour Alfred à Noël : Ralph toujours. La décennie des découvertes, réellement. Colloques, universités. J'ai beaucoup voyagé avec Roy, et les enfants lorsque c'était possible. On s'habitue bien à ne plus travailler. J'avais foncé tête baissée sans me poser de questions et, désormais, je prenais le temps de réfléchir, de regarder autour de moi. C'était la vie qui me convenait. Je suis devenue aussi une personne, disons, plus religieuse. Mais vous savez déjà tout ça.*

Vous voyiez toujours le rabbin Magnin…
Oui. Il me laissait libre dans mon cheminement spirituel.

Ce qui lui importait, c'était la morale, la réflexion ; la justice sociale, aussi. Que j'observe les rites était secondaire à ses yeux. On apprend vite à devenir libéral quand on vit à Hollywood ! (Rires.)

Parlez-nous un peu de Walter.
Walter travaillait au département de la Défense. La Seconde Guerre mondiale l'avait laissé avec une drôle de blessure au bras gauche. Il ne pouvait plus toucher son épaule, il avait même du mal à jouer de l'accordéon. Pour autant, il n'en voulait pas à l'armée. Simplement, il en avait fini avec les opérations de terrain. Il était parti si jeune ! Les années cinquante n'ont pas été faciles pour lui.

Je vais revenir là-dessus aussi. Et Ralph ?
Ralph ne savait pas ce qu'il désirait faire de sa vie. Vous voulez mon avis ?

Et comment !
(Rires.) *Les jumeaux avaient reçu une éducation très stricte à New York. David se sentait coupable de l'échec de son mariage et, plus tard, il s'est senti coupable de la mort de Carmen. Ce qui était absurde mais, enfin, on ne change pas les gens. Les garçons avaient appris l'hébreu, ils avaient étudié le Talmud. Quand ils sont sortis de là, ils ne connaissaient rien au monde. Et puis la guerre est arrivée, et toutes les questions qu'ils auraient dû se poser ont été mises entre parenthèses. Il leur a fallu tout apprendre par eux-mêmes pendant les années cinquante. Sans surprise, ils ont suivi la voie de la plupart des Juifs américains de l'époque, reprenant*

à leur compte l'idée selon laquelle Dieu était mort, tué par la Shoah. À cette époque, la judéité de la plupart de nos semblables persistait pourtant, mais elle s'exprimait surtout par un soutien financier à Israël.

Cette tendance à prendre des distances avec la foi et la pratique religieuse en général n'a-t-elle pas fait le lit des courants réformistes ?
Oui, sans doute. Mais pas uniquement. Et plus tard, dans les années soixante, les Juifs sont repartis en quête de leur spiritualité. Dieu est pour nous comme une drogue douce, vous savez. (Elle rit.) *Nous prétendons sans cesse le rejeter mais nous ne pouvons nous en passer.*

Cela s'applique à David aussi.
Certes. Mais mon frère a suivi une trajectoire tellement alambiquée que je serais bien en peine d'en suivre les sinuosités.

Doris, Alfred et Shirley ont été scolarisés dans des établissements juifs, eux aussi. Et vous avez tenu à ce qu'ils gardent leur nom maternel.
Et alors ? Je ne remets absolument pas en cause leur identité juive. Mais l'établissement dans lequel je les ai inscrits était une institution beaucoup plus libérale que la Mesivtha Tifereth Jerusalem – l'un des derniers bastions orthodoxes new-yorkais. J'ai choisi pour mes enfants des écoles juives parce que je voulais qu'ils sachent qu'ils étaient juifs, voilà tout. S'ils m'avaient suppliée de les mettre dans un collège ou dans un lycée de goyim, *je l'aurais fait.*

Pour en revenir à Ralph : quelle existence menait-il au début des années cinquante ? Doris ?
Il faisait du surf.

C'est tout ?
(Rires.) *Il étudiait à l'UCLA. Il sortait avec des filles.* (Très sérieuse.) *Je crois qu'il a dû suivre une centaine de cours différents durant ces années-là. Puis il a rencontré Joan et il est reparti sur la côte est. Là-bas, il a d'abord trouvé une place dans une firme publicitaire – Ralph avec une cravate, vous imaginez ? – puis il a fini par intégrer M. & Sons et…*

Attendez, attendez ! Ne racontez pas tout !
(À cet instant, le téléphone se met à sonner. S'éloignant pour répondre, Doris revient quelques secondes plus tard : vraiment,

Étudiants prenant le soleil – et travaillant ? – sur le campus de l'UCLA en 1952 (cliché de Doris Mendelson).

elle est désolée, mais elle doit nous laisser, raison urgente et personnelle. La voici qui se penche sur sa mère : « Pas trop de bêtises, d'accord ? » Amusée, la vieille femme la congédie. Je me tourne vers elle, faussement sérieux.)

Parfait. Nous allons pouvoir dire du mal de votre fille de soixante-douze ans, maintenant qu'elle est partie. (Nous rions.) **Que faisait-elle, à l'époque ?**

Elle étudiait aussi à l'UCLA. Mais pas de la même façon que son cousin. Sa voie à elle, c'était l'histoire de l'art. Elle voulait travailler à New York, dans une galerie.

Les photos d'alors montrent une jeune fille très sérieuse, avec des lunettes, une jupe plissée, etc. Était-elle vraiment fidèle à cette image ?

Qu'insinuez-vous ? C'était une jeune fille de bonne famille ! (Rires.)

Elle sortait avec des garçons, tout de même.

Le mot que vous cherchez est « flirtait ».

Et ses relations avec Ralph ?

Oh, ces deux-là faisaient la paire, Got tsu danken[1]. *Le week-end, ils étaient inséparables, excepté quand l'un ou l'autre était – comment disaient-ils déjà ? – « en affaires ». Ralph était souvent en affaires, et ça durait rarement.* (Rires.) *Doris a dû*

---

1. *« Dieu merci. »*

faire face à une ribambelle de courtisans, des garçons de sa promotion notamment, mais elle était beaucoup plus sage et discrète. Qui aurait pu prédire qu'elle ne se marierait jamais ?

Il ne faut jamais dire jamais.
Vous venez de le faire deux fois. (Rires.)

J'aimerais beaucoup que nous évoquions Alfred, à présent. Nos lecteurs ne le connaissent pas encore.
Alfred... (Elle plisse les yeux.) *Alfred était un petit garçon très turbulent dans son jeune âge. Ce n'est jamais facile d'être l'enfant du milieu. Mais plus tard, vers sept ou huit ans, il a changé du tout au tout : sérieux, un peu rêveur, toujours à inventer des histoires. Il aimait les échecs, les romans d'aventures, les promenades en bord de mer. Son cousin Ralph l'avait pris en affection. Il s'occupait beaucoup de lui.*

Ralph vivait chez vous ?
Oui et non. Il avait pris une chambre sur le campus après la guerre. Dieu sait par quels arrangements il était passé ! Pendant quelque temps, il a rendu régulièrement visite à sa grand-mère maternelle – la mère de Carmen – dans l'espoir d'en apprendre plus sur sa mère biologique. Puis il s'est brouillé avec elle, et il s'est rabattu sur nous. Souvent, oui, il venait à Beverly Hills le week-end. Nous étions toujours heureux de l'avoir, et Alfred le premier. Ralph l'emmenait au cinéma.

Quels films ?
Vous croyez vraiment que je m'en souviens ? Je n'étais pas avec eux. Peut-être Song of the South. *Des films d'aventures.*

Et la maison de Big Sur ?
Nous y passions un mois au moins chaque été. Ralph nous a rejoints en 1948. Avant cela, il se plaignait de son genou. À mon avis, c'était plutôt une histoire de fille.

Amanda ?
Comment dites-vous ? Je ne suis pas au courant.

Et Alfred ? Se plaisait-il à Big Sur ?
Got in Himmel[1] ! *Énormément ! Et quand son cousin s'est décidé à revenir et qu'il a commencé à l'initier au surf... À un moment, nous l'avons littéralement perdu de vue. Il ne nous restait qu'à nous ronger les sangs.*

Pourquoi ?
Parce qu'ils prenaient beaucoup trop de risques, tous les deux. Et qu'au début, Alfred avait à peine treize ans. Nous les avons crus noyés plus d'une fois, vous savez. Mill Creek, Kirk Creek, Willow Creek, Sand Dollar... Ralph connaissait tous les « spots », comme il disait. Mais passons. Alfred a terminé le lycée en 53 et, après deux ans d'études supplémentaires, il est entré en 55 à la très prestigieuse UCLA School of Theater, Film and Television pour apprendre à écrire des scénarios, comme son oncle. Bon, à mon tour de vous poser une question : pourquoi ne demandez-vous rien sur Shirley ?

Eh bien...
(Elle plisse les yeux.) *Vous croyez que je ne suis pas capable de faire face[2] ?*

---

1. « Dieu du ciel ! »
2. Au moment où cette interview est réalisée, Shirley est morte depuis deux mois à peine, et j'ignore absolument s'il est opportun de parler d'elle à sa mère.

Je crois que vous êtes capable de beaucoup de choses.
Exact. (Elle renifle, jette un coup d'œil au-dehors, prend une brève inspiration.) *Shirley était une enfant aux cheveux roux. Elle ressemblait énormément à son père. La couleur a foncé par la suite, mais elle a toujours gardé cette petite frimousse de fée mutine, cet air innocent qui plaisait tant aux garçons. Je crois qu'elle aurait pu faire du cinéma, si elle avait osé. Seulement, elle était beaucoup trop timide et elle aspirait surtout au calme. Le dimanche, elle jouait dans le jardin, assise dans l'herbe, seule. Parfois, nous oubliions qu'elle était là. C'était une enfant très discrète et docile. Son frère et sa sœur l'adoraient, chacun à sa manière. Entre eux, ils avaient plus de mal. Elle, elle était la petite dernière : le trésor caché. Je n'ai jamais eu de problèmes avec Shirley, même quand elle est devenue mère à son tour – et quelle mère ! Elle était très religieuse, la plus sérieuse d'entre nous, de très loin. Et son époux était un homme remarquable.*

Vous savez, j'ai eu le temps de m'entretenir avec elle il y a quelques mois. Un peu avant qu'elle…
Je suis heureuse d'entendre ça.

Elle était terriblement fatiguée mais les quelques paroles que j'ai pu échanger avec elle resteront à jamais gravées dans ma mémoire. Elle a vécu une histoire magnifique.
Même les plus belles histoires se terminent.

En direct du mont Charleston

Le chapitre qui suit comporte plusieurs informations d'importance sur Walter Mendelson, informations qu'aucun membre de la famille n'a été en mesure de me procurer et que j'ai donc dû dénicher par mes propres moyens. Leur teneur particulière rendant leur divulgation délicate vis-à-vis du principal intéressé, j'ai voulu soumettre mon texte à ce dernier pour accord. « *J'ai bien conscience que les lignes qui suivent sont susceptibles de vous blesser, ai-je écrit, ou d'altérer l'image que certains de vos proches se font de vous. Un mot, un seul, et je les écarte définitivement de mon projet.* »

La réponse m'est parvenue par mail quelques minutes plus tard : « *Faites ce que bon vous semble.* » Dont acte.

⁂

En 1947, sous la présidence de Harry Truman, le département de la Défense des États-Unis est créé par la fusion du département de la Marine et du département de la Guerre, où Walter Mendelson avait trouvé à se reconvertir.

La Seconde Guerre mondiale a laissé place à la guerre froide et à la guerre de Corée. De 1947 à 1953, quatre secrétaires à la Défense se succèdent, et c'est sous la présidence du dernier d'entre eux, Robert A. Levett, que Walter va participer à l'un des épisodes les plus controversés de l'histoire militaire américaine : l'opération *Buster-Jangle* – sixième série d'essais nucléaires organisée par le pays de l'Oncle Sam.

Le fils de David, on le devine, a refusé de répondre à mes questions sur cette période, m'encourageant à me faire « ma propre opinion ». Le fait est que je ne cherchais pas à connaître la vérité sur l'opération en question, mais plutôt à comprendre quel impact elle avait produit sur l'existence de Walter : nous savons en effet que le jeune homme quitta l'armée quelques semaines plus tard.

Un peu d'histoire pour commencer : dans la course effrénée à l'armement nucléaire à laquelle se livrent les grandes puissances, les États-Unis possèdent une longueur d'avance. D'une part, ils sont le premier pays (et à ce jour le seul) à avoir utilisé la bombe atomique dans le cadre d'une guerre. D'autre part, le premier essai de l'histoire – nom de code : *Trinity* – doit également leur être attribué, et précède de quelques semaines les bombardements de Hiroshima et de Nagasaki. Le premier test de l'URSS, RDS-1, lui, n'a lieu que quatre ans plus tard, en 1949. Au cours des décennies suivantes, les États-Unis procèdent à plus d'un millier de tests : la moitié du nombre total de tests dans le monde. L'opération *Buster-Jangle* n'est donc qu'une série parmi d'autres, à une époque où ce type d'expérience est encore relativement rare. Moins d'une vingtaine d'essais, en effet, sont effectués chaque année jusqu'en 1955 ; par la suite, le chiffre grimpe régulièrement au-dessus de cinquante, avec des pics à plus de cent en 1958 et en 1962.

L'opération *Buster-Jangle* se déroule sur le site de tests du Nevada (Nevada Test Site, ou NTS), une région des États-Unis dépendant du département de l'Énergie et qui servira pour 928 essais nucléaires de 1951 à 1992. D'une superficie de 3 500 km^2, le NTS se situe dans le comté de Nye.

On ne sait pas exactement pourquoi Walter assiste à l'opération. Ce qu'on sait en revanche, c'est que cet événement arrive pour lui au pire des moments. Depuis son retour d'Europe, en effet, l'aîné de David s'adonne régulièrement à la boisson, avec une nette prédilection pour le whisky.

« *Il avait un souci avec l'alcool, confirme Doris, et je sais qu'il ne m'en voudra pas de parler de ça parce que, premièrement, ce n'est pas quelqu'un à qui la vérité fait peur et, deuxièmement, eh bien, il a fini par s'en sortir, ce qui n'est tout de même pas si commun. Pour ma part, j'ai été mise au courant dès 1947 lors d'une de ses visites à Los Angeles. Il venait d'accepter ce nouveau poste au département de la*

---

1. *Doris a raison : le nom d'alors était National Military Establishment – qui s'épelait NME* (enemy). *Il a fallu rapidement en changer…*

Défense, qui, à l'époque, ne s'appelait pas encore comme ça[1]*. Son truc à lui, c'était le bourbon. Nous étions encore très jeunes à l'époque ; moi, je trouvais que ça lui donnait un air viril. Mais l'année d'après, ma mère m'a prise entre quatre'z-yeux pour me demander si j'étais "au courant pour Walter". David l'avait appelée, il s'était encore disputé avec son fils et il s'inquiétait énormément pour lui : c'est la première fois, à ma connaissance, que le mot "alcoolisme" a été prononcé.* »

November 25, 1948
Walter has just left. The bottle of Four Roses he claimed to have bought for us – although he's well aware that neither Helena nor I ever drink – remains on the table, three quarters empty. Once again, I didn't have the courage to talk with my son.
And yet I will have to.

JOURNAL INTIME DE DAVID. 25 NOVEMBRE 1948. *Walter vient de partir. La bouteille de Four Roses qu'il avait apportée soi-disant pour nous (alors qu'il sait très bien que ni Helena ni moi ne buvons) est restée sur la table – aux trois quarts vide. Une fois encore, je n'ai pas trouvé le courage de parler à mon fils. Il le faudra bien pourtant.*

L'opération *Buster-Jangle* consiste en sept essais, dont six atmosphériques[1]. Le premier, *Able*, a lieu le 22 octobre 1951. La bombe est lancée d'une tour ; elle n'explose pas correctement.

Les trois bombes suivantes sont lâchées par des bombardiers B50, et la cinquième par un B45. La sixième bombe, *Sugar*, explose à la surface tandis que la septième et dernière, *Uncle*, est une bombe souterraine (29 novembre).

La totalité des essais est donc conduite sur une durée d'un peu plus de six semaines. L'emploi du temps de Walter durant cette période aurait pu rester un mystère si mon enquête ne m'avait permis de dénicher le nom du plus proche de ses collègues. Donald Sanford – l'homme en question – travaillait dans le même bureau que le fils de David. Ce dernier parle de lui dans son journal, et Doris s'en souvient aussi. « *Je ne l'ai jamais vu, précise-t-elle, mais Walter a évoqué son nom à deux ou trois reprises. Ils travaillaient ensemble au Pentagone. Visiblement, ils s'entendaient à merveille.* »

Ce que Doris ne sait pas – et ce que je ne découvrirai moi-même que quelques semaines plus tard –, c'est que Donald Sanford est décédé en 1955, d'une leucémie très probablement consécutive à une exposition « excessive » aux radiations ; il me faut donc parler à un membre de sa famille.

Après plusieurs manœuvres infructueuses, je finis par retrouver la trace de son épouse, Marjorie. Quelques appels téléphoniques me suffisent à la convaincre. Trois jours plus tard, je pose mon sac à Danville, dans le Kentucky.

---

1. *On sait désormais que les essais atmosphériques sont ceux qui contaminent le plus l'environnement – du fait notamment de la quantité d'éléments se retrouvant exposés aux radiations et aux vents qui les disséminent loin du lieu de l'explosion.*

Nous sommes en décembre 1999. Marjorie a quatre-vingt-deux ans et elle est toujours en colère : elle a passé près de quarante années de sa vie à tenter de faire reconnaître au département de la Défense sa responsabilité dans la maladie – et le décès – de son époux, jusqu'à ce que le Radiation Exposure Compensation Act, voté par le Congrès en 1990, lui permette de toucher les soixante-quinze mille dollars réservés aux travailleurs ayant participé à des essais atmosphériques. Pour elle, Donald Sanford a été victime d'une effroyable erreur humaine, et la loi de compensation est survenue beaucoup trop tard.

Grâce à son aide, je vais enfin parvenir à comprendre ce qui est arrivé à Walter pendant ces six semaines.

Marjorie, où étiez-vous en 1951 quand votre mari se trouvait dans le Nevada ?
Chez nous : à Arlington, en Virginie. Donald travaillait au Pentagone.

Quel âge avait-il ?
Il est né en 1912. Nous avions fêté ses trente-neuf ans en juillet.

Et Walter était son ami.
Oh oui ! Ils travaillaient dans la même pièce. Ils rédigeaient des rapports pour le secrétariat de l'armée en tant qu'officiers subalternes et ils s'occupaient des questions environnementales. J'espère que vous appréciez l'ironie ?

Je voudrais d'abord vous poser quelques questions à propos de Walter. Combien de fois l'avez-vous vu ?

(Elle réfléchit.) *Peut-être vingt ? Trente ? Donald l'invitait souvent à la maison pour dîner. Walter menait une vie de célibataire endurci, il possédait un petit appartement à Washington. Nous ne lui connaissions pas de petite amie.*

Comment vous entendiez-vous avec lui ?
C'était un ami de mon mari, peut-être son ami le plus proche à l'époque, alors j'étais plutôt bien disposée à son égard. (Elle sourit doucement.) *C'était un garçon très jeune, très réservé. Secret et torturé.*

Oui, c'est bien lui. (Rires.) **Savez-vous qu'il est encore vivant aujourd'hui ?**
Il m'envoie une carte à chaque nouvelle année.

Ça alors ! Et vous les gardez, ces cartes ?

My dear Marjorie,
I hasten to wish you a fine and fruitful year for 1987. May your wishes come true and your pains of the past, with the passing of time, turn into simple memories.
Walter

CARTE DE VŒUX. *Ma chère Marjorie, je vous souhaite d'ores et déjà une belle et fructueuse année 1987. Puissent vos souhaits se réaliser et vos douleurs anciennes, au contact du temps, se muer en simples souvenirs. Walter*

Bien sûr ! Tenez, si ça vous intéresse... (Elle se lève, fouille ses tiroirs, sort un carton où s'empilent des dizaines de cartes de vœux. Certaines sont effectivement signées « W. M. » ou « Walter ». Leur style est très sobre.

Que saviez-vous des essais nucléaires à l'époque ?
Je savais qu'il y en avait, point final. La menace nucléaire faisait partie de la vie des gens. Concevoir des bombes toujours plus puissantes paraissait un mal nécessaire car, de son côté, l'URSS ne demeurait pas en reste. Et puis, on assistait aux débuts du maccarthysme, les époux Rosenberg venaient d'être arrêtés – c'était un contexte très particulier.

Mais les essais en eux-mêmes : votre mari pensait-il qu'ils pouvaient être dangereux ?
Je dirais qu'il était plus informé que la moyenne des gens. Cela faisait partie de son travail de l'être. Dans les années cinquante, le commun des mortels pensait que, à moins de se trouver à quelques miles du cœur de l'explosion, le danger était quasi nul. C'est ce que prétendaient les experts du Commissariat à l'énergie atomique. À Las Vegas, c'était de la folie : les tests nucléaires étaient soutenus par une véritable propagande. La chambre de commerce locale publiait régulièrement un calendrier à destination des touristes avec les dates des essais à venir. Donald et Walter n'étaient pas spécialement encouragés à verser dans le catastrophisme.

Subissaient-ils des pressions ?
(Elle hausse les épaules.) *Comment pourrais-je le savoir ? J'ai toujours essayé de demeurer objective. Ce que je reproche au*

département de la Défense, ce n'est pas tant d'avoir commis des erreurs que d'avoir refusé de les reconnaître.

Donc, votre mari est parti pour le Nevada en octobre ?
Oui. Le 8 octobre 1951, un lundi, à l'aube. J'ai gardé toutes ses lettres. Moi, je restais à la maison avec notre fils Larry.

Oh, j'ignorais que vous aviez un enfant. Quel âge avait-il alors ?
Trois ans.

Excusez-moi. Je vous ai interrompue.
Mon mari est donc parti, et il me semble que Walter était avec lui. Le département de la Défense avait envoyé 7 800 hommes, dont 6 500 soldats censés participer à des opérations militaires. J'ai reçu une lettre le 12 octobre, et une autre dix jours plus tard. Ils devaient faire exploser la première bombe à six heures, heure locale. Mais ça n'a pas marché.

Que s'est-il passé ?
Je ne suis pas très calée en la matière. Ce que je sais, c'est qu'il y avait déjà eu une tentative trois jours auparavant, et que rien ne s'était passé. La deuxième fois, le 22 octobre, donc, la tour a été endommagée. Il y a eu production d'énergie, d'après Donald, mais pas explosion nucléaire au sens strict du terme.

Le deuxième véritable essai a eu lieu le 28. *Baker*, c'est ça ?
Tôt le matin, oui. Et cette fois, ça a fonctionné. Une bombe de 3,5 kilotonnes lâchée par un bombardier B50. Donald a tout vu, et Walter aussi. Vous voulez que je vous montre ? (Je hoche la

tête. Elle se lève de nouveau, va chercher une autre boîte où les lettres de son époux sont classées par années grâce à un système de signets. Elle prend la première liasse, ôte l'élastique, commence à feuilleter.) *Nous y voilà.* (D'une voix étranglée, elle se met à lire :) « *Ma chérie. La première bombe a explosé ce matin dans un ciel très pur. Je ne sais, de l'horreur ou de la fascination, ce qui l'emporte chez moi. Des soldats plaisantent, applaudissent, poussent des cris de joie. On se croirait à une fête. Dis à mon fils que je l'aime et que je vous porte dans mon cœur. Je dois te laisser : la Jeep de Walter arrive. Ne t'inquiète pas. Rien de ce que nous faisons n'est réellement dangereux. Ton D.* » (Elle se redresse, guettant ma réaction.)

Merci. La troisième bombe...
La troisième bombe, c'est Charlie, *le 30 octobre, toujours le matin. J'ai là* (elle sort de sa liasse un simple mot plié en deux) *une lettre avec – vous voyez – une photo qu'il a prise.* (Nous regardons tous deux le cliché. Marjorie l'effleure, secoue la tête.) *Vraiment, je n'arrive pas à m'y faire.*

C'est une bombe de 14 kilotonnes, donc réellement plus puissante que la précédente. Quelle était la puissance de celle qui a été larguée sur Hiroshima ?
Little Boy *? 15, je crois. Et 21 pour* Fat Man.

On n'en était alors qu'aux prémisses.
Oui. Avec Dog *et* Easy, *on est passés ensuite à 21 kilotonnes et à 31. Mais vous avez raison, ce n'était rien comparé à la suite. Mon Donald a travaillé sur d'autres tests ensuite. Avec* Castle Bravo, *en 1954, sur l'atoll de Bikini, on est arrivés à*

15 000 kilotonnes. Nous ne le savions pas encore à l'époque mais il était déjà malade. Très malade.

Puis-je voir cette lettre-ci ? (Je désigne un feuillet, qu'elle me tend docilement. Elle est ailleurs, son regard est devenu très clair, presque transparent. Elle ânonne.)
Celle-ci a été écrite juste après l'explosion de Dog, *le 1er novembre. C'est le jour où il y a eu un problème avec Walter.*

Un problème ?
Lisez.

Je préférerais que vous me racontiez.
(Elle soupire.) *Walter et Donald faisaient des prélèvements sur une colline. Ils portaient des lunettes Ray-Ban, offertes par la firme. Il y avait un troisième homme avec eux, un militaire : Thomas Ruthmore. Après l'explosion, il s'est permis une réflexion très déplacée, quelque chose du genre : « Si Hitler avait eu une arme pareille à sa disposition, il n'aurait pas payé de telles factures de gaz. » Vous comprenez l'idée.*

Je comprends parfaitement. En savez-vous plus sur ce Ruthmore ?
Non. Mon mari ne l'a jamais revu après ça. Il avait une trentaine d'années, c'est tout ce que je sais.

Continuez.
Eh bien, Walter s'est jeté sur lui, et ils ont roulé au sol. Ruthmore était armé, les choses auraient pu mal tourner mais Walter l'a rapidement mis K.-O. et ensuite il l'a roué de coups

de pied, et Donald a dû le ceinturer. Walter s'est dégagé. Il lui a jeté un regard haineux et il a tourné les talons. Il a pris la Jeep de Ruthmore et il est parti.

Sans dire où il allait, je suppose.
Sans dire où il allait. Et mon Donald est resté trois heures sur place avec Ruthmore, en plein soleil, au milieu du désert, en attendant que quelqu'un s'aperçoive de leur absence et vienne les chercher.

Ils n'auraient pas pu rentrer à pied ?
Non. Le camp de base se trouvait à une dizaine de miles – dans ce genre de cas, on recommande toujours aux gens de rester sur place.

C'est vrai. En voulez-vous à Walter d'avoir abandonné votre mari ainsi ?
Pas vraiment. Donald ne lui en a jamais tenu rigueur, lui. Il était ivre, Walter était complètement ivre.

Vous saviez qu'il s'adonnait à la boisson ? Je veux dire, que c'était une habitude ?
(Elle se mord la lèvre.) *Pas vraiment. Il faut dire qu'il se comportait très bien à table. Donald m'a révélé ensuite qu'il ne buvait qu'en sortant de chez nous.*

Que s'est-il passé ensuite ?
J'ai reçu un appel.

De Walter ?

Oui. Dans la nuit du jeudi 1er au vendredi 2 novembre. Il devait être quatre heures du matin – un peu moins dans le Nevada. Walter voulait parler à Donald. Il avait une voix pâteuse, on aurait dit que sa bouche était engourdie. J'ai essayé de le raisonner, de comprendre ce qui se passait.

Et vous avez réussi ?
Plus ou moins. Walter se trouvait à Las Vegas, dans un hôtel-casino. Apparemment, il venait de gagner plusieurs centaines de dollars à une machine à sous. Il ne se souvenait plus de ce qui s'était passé avec Donald. Il était saoul, de toute évidence.

Poursuivez.
J'étais très inquiète. Pour lui, pour Donald aussi. Je pensais que quelque chose de terrible était arrivé. Au téléphone, Walter gémissait. « Vous vous rendez compte, Marjorie ? Avez-vous conscience de ce que nous avons fait ? Savez-vous combien d'enfants mourraient dans une pareille explosion ? Savez-vous quel genre de souffrances endureraient les survivants ? » Il était comme fou. Il voulait que je lui passe Donald, il disait qu'il l'entendait pleurer dans la pièce à côté, il pensait que Donald pleurait à cause de la bombe… C'était… C'était très éprouvant.

Comment cela s'est-il terminé ?
La conversation a été interrompue. Je pense que Walter est tombé de son lit ou quelque chose dans ce goût-là. Il n'a pas essayé de rappeler. Il avait dû passer à autre chose. Moi, vous l'imaginez bien, je n'ai pas fermé l'œil de la nuit. Que pouvais-je faire ? Une lettre de Donald est arrivée le lendemain mais elle

datait de plus d'une semaine, et il n'y avait aucun enseignement particulier à en tirer. Enfin, mon mari a fini par téléphoner. Il avait dû se donner un mal de chien pour dégotter un appareil. Je le sentais très inquiet. Il m'a expliqué ce qui s'était passé. Je lui ai dit que Walter avait appelé et se trouvait à Las Vegas. « D'accord, a-t-il répondu, je vais le chercher. » Manifestement, il était parvenu à convaincre Ruthmore de ne pas aller se plaindre auprès de l'état-major – Dieu sait comment. Il est parti à Las Vegas le jour même. Soixante-cinq miles au sud-est du site. Il n'a pas jugé utile de prévenir ses supérieurs, et on peut être sûrs que Ruthmore a gardé le silence, sans quoi Donald en aurait entendu parler. Par chance, ni lui ni Walter n'étaient soumis à une hiérarchie directe là-bas.

Votre mari est donc arrivé à Las Vegas…
Le 2 au soir, oui. Il est allé dans tous les hôtels, en commençant par le Golden Nugget – puis le Horseshoe, le Sal Sagev, le Flamingo, le Las Vegas Club. Finalement, il est retourné au Golden Nugget et a retrouvé Walter inscrit sous un autre nom.

Quel autre nom ?
Moïse.

Juste Moïse ?
Oui. Je suppose que du moment que vous aviez de l'argent, là-bas, personne ne vous posait de questions. Mon mari est monté au quatrième étage et il a frappé à la porte ; Walter est venu lui ouvrir, une bouteille à la main. Il y avait une fille dans le lit, à moitié dévêtue. Walter a cligné des yeux. Il était méconnaissable. « Bienvenue à Atomic City, mon pote » : voilà ce qu'il lui a dit.

« Atomic City », qui était précisément le nom donné à Las Vegas à cause de ces essais.
Tout à fait : la ville jouait le jeu à fond, si l'on peut dire. Les coiffeurs proposaient des coupes « atomiques », les barmen servaient des cocktails atomiques eux aussi : vodka, brandy et champagne, avec un doigt de sherry. Donc, Walter était saoul, et Donald ne savait plus du tout quoi faire. Parlementer était inutile. Pour finir, mon mari a tourné les talons et est parti se trouver une chambre à son tour.

Est-il reparti à la charge le lendemain matin ?
Oh, il n'était pas homme à abandonner aussi facilement ! Il est retourné au Golden Nugget le samedi vers neuf heures. Walter n'était toujours pas en état de discuter de façon constructive. Mon mari lui a demandé ce qu'il avait l'intention de faire. Walter lui a répondu qu'il allait vivre ici, qu'il allait organiser des expéditions de touristes « spécial explosions »

DES ABORDS DU GOLDEN NUGGET, À LAS VEGAS, LES ESSAIS NUCLÉAIRES DU NTS SONT PARFAITEMENT VISIBLES (CLICHÉ DATÉ DE 1951 – SANS PLUS DE PRÉCISIONS – ET ATTRIBUÉ PAR SON ÉPOUSE À DONALD SANFORD).

et a conclu, je le cite – c'est écrit sur une carte de Donald – que « le monde entier pouvait aller se faire foutre ». Mon mari a abattu ses dernières cartes. « Mais ton travail, ta famille ? » Walter a éclaté de rire. Tout cela n'avait aucune importance. D'ici à quelques mois, quelques années au mieux, des bombes surpuissantes tomberaient sur le monde, et il ne serait plus nécessaire de se soucier de quelque travail ou de quelque famille que ce soit.

C'était une discussion sans issue.
Le soir même, Donald a eu ses supérieurs au téléphone. Les choses commençaient à sentir vraiment mauvais pour Walter. Donald le lui a dit et, cette fois, son ami l'a écouté : il semblait avoir recouvré ses esprits. Pour autant, il refusait d'en démordre. Il voulait quitter le département de la Défense sans délai. Ne plus rien avoir à faire avec l'armée.

Donald est-il rentré à la base ?
Il n'avait pas le choix. Avant de repartir, il a demandé une bonne dizaine de fois à Walter s'il était bien sûr de lui. Walter était sûr. Le dimanche matin, mon mari a donc quitté Las Vegas pour reprendre la route du nord-ouest. Il avait fait son possible. Il m'a écrit un mot très sobre ce jour-là, attendez… (Elle fouille dans sa boîte, me tend une carte postée de Las Vegas.) *Ah, voilà ! « Walter est devenu fou. Mais qu'est-ce qu'un fou ? Un homme qui a tort contre le monde entier ? Il ne reviendra pas. »*

Est-il revenu ?
Non. Et nous avons appris la fin de l'histoire par un collègue. Lundi matin à l'aube, Walter a emmené trois jeunes gens en

Jeep – deux filles et un garçon – direction le mont Charleston, à une trentaine de miles de Las Vegas.

Le mont Charleston est un sommet important, n'est-ce pas ?

Le plus élevé des Spring Mountains : pas loin de douze mille pieds d'altitude. À cette époque, il était en grande partie enneigé. Il y avait une petite route de montagne qui grimpait assez haut, avec un endroit pour stationner. Walter savait qu'une bombe allait exploser ce matin-là vers huit heures trente : c'était Easy, *la plus grosse de toutes – 31 kilotonnes. Moyennant finance, il avait accepté de monter les trois jeunes gens. Il leur avait recommandé de prendre des lunettes de soleil, et il avait emporté des couvertures et un Thermos de café. L'explosion a eu lieu à l'heure prévue. De là où il se trouvait, Donald l'a vue lui aussi. Comme d'habitude, il y a eu un flash lumineux intense, et le champignon*

EASY, L'UNE DES SEPT BOMBES DE L'OPÉRATION *BUSTER-JANGLE*. (CLICHÉ ANONYME, 5 NOVEMBRE 1951).

est monté dans le ciel. L'onde de choc a été ressentie jusqu'à Las Vegas ; ça aussi, c'était habituel. Une fois que le spectacle a été terminé, les trois jeunes se sont retournés. Walter n'était plus là. Il avait quitté la route et était parti à pied vers la montagne. Les jeunes se sont lancés à sa poursuite et l'ont vu s'effondrer un peu plus loin, sur une plaque de neige.

Mon Dieu. J'ignorais tout ça. Que lui est-il arrivé ?
Il avait avalé une cinquantaine de comprimés de Phénobarbital avec un demi-litre de bourbon. Les jeunes lui ont sauvé la vie. Ils l'ont mis dans la voiture et sont redescendus à tombeau ouvert vers Las Vegas pour le conduire à l'hôpital de la 8e Rue. Là-bas, les médecins l'ont immédiatement pris en charge. Il était tombé dans le coma mais ils ont procédé à un lavage d'estomac, et ils l'ont tiré d'affaire. Il est resté deux semaines à l'hôpital. Dans l'intervalle, le département de la Défense a demandé des comptes à Donald, et il a bien été obligé de dire ce qu'il savait. Des officiels ont été dépêchés sur place. Ils l'ont retrouvé rapidement.

Et Donald ?
Il n'a pu le voir qu'une fois sorti de l'hôpital. Tout avait été réglé. Le département se séparait de Walter à l'amiable.

À l'amiable ? Comment cela ?
Je n'en sais pas plus. Désolée. Tout ce que Donald a appris par la suite, c'est que Walter serrait une note dans son poing au moment où les jeunes gens l'ont retrouvé.

Connaissez-vous le contenu de cette note ?
Donald l'avait apprise par cœur. « Entre 1934 et 1945, le

Phénobarbital, sous le nom de Luminal, a été utilisé par des médecins nazis pour tuer les enfants allemands victimes de maladies ou de difformités. Plus tard, ces mêmes médecins ont officié pour la plupart dans des camps d'extermination. » Voilà ce que disait le mot. Pas de justification, pas d'explication de texte. Juste ces quelques lignes.

Je me demande comment il faut comprendre ça.
Ça, c'est à vous de voir. Mais ne comptez pas sur Walter pour vous expliquer.

Si je vous disais qu'aucun membre de sa famille ne m'a jamais parlé de cet épisode...
Je ne serais pas étonnée.

En commençant ce chapitre consacré à Walter, j'espérais découvrir « en quoi » l'opération *Buster-Jangle* avait pu changer sa vie. Grâce à vous, j'ai compris beaucoup de choses. Et dans le même temps, je garde le sentiment d'un mystère irréductible. Pourquoi voulait-il se tuer, selon vous ? Vous êtes la seule à connaître ce Walter-là, apparament. Je me vois mal poser aux siens des questions sur un événement dont ils ignorent l'existence même.
(Elle range les cartes et les lettres de Donald soigneusement. Puis elle remet la boîte dans son tiroir et vient se rasseoir.) *Walter était un idéaliste. Il s'était engagé dans l'armée pour servir son pays. Il s'est sans doute rendu compte que sa vision du monde était biaisée. Donald et moi avons été confrontés à un problème similaire lorsque sa maladie s'est déclarée. Ajoutez à cela la question de l'identité juive, et vous*

obtenez un cocktail détonant. Pour schématiser, disons que Hitler et la bombe atomique se sont associés dans l'esprit de Walter comme les deux aspects d'une même problématique. C'est mon opinion en tout cas.

C'est une opinion très intéressante.
J'ai travaillé vingt ans en clinique psychiatrique. Walter était loin d'être fou. Mais il jouait avec cette idée. Un soir, un seul, il est revenu à la maison. Il a évoqué succinctement ses démêlés avec le département de la Défense. « Je suis cinglé, a-t-il affirmé. Voilà qui arrange tout le monde. » Et ça a été tout. Je crois qu'il ne pensait pas un mot de ce qu'il disait.

C'est la dernière fois que vous l'avez vu ?
Oui. Début 52.

Et ensuite ?
Lui et Donald se téléphonaient trois ou quatre fois par an. Je savais qu'il était retourné à New York, qu'il travaillait à l'université de Columbia, qu'il avait rencontré une jeune fille.

Ça n'a pas dû durer longtemps.
Walter n'était pas très doué avec les membres du beau sexe. Ensuite, Donald est tombé malade. Sa leucémie s'est déclarée fin 1954 et il est mort en octobre 1955.

A-t-il dit à Walter qu'il était malade ?
Il le lui a dit en juillet 1955. Avant cela, il avait gardé l'espoir de s'en tirer. Après… Après, il a pensé qu'il lui devait la vérité. Même s'il savait que cela le mettrait en colère. Effectivement,

Walter est entré dans une rage folle. Au point que nous nous sommes demandé s'il n'allait pas faire une bêtise.

Comme...

Je ne sais pas. Tirer sur le Pentagone au lance-roquettes ? On pouvait tout imaginer avec lui. (Elle sourit, faiblement.) *Bref, Donald a dû lui faire promettre de rester calme. Il lui a raconté que son père était mort de la même maladie, que c'était peut-être héréditaire. C'était évidemment une affabulation. Walter a proposé à Donald de passer le voir. Mon mari a refusé ; il détestait les visites. Il lui a affirmé qu'il allait s'en sortir : deuxième mensonge. Walter a rappelé en octobre, peu de temps avant que Donald ne reparte pour l'hôpital. Puis en décembre. Cette fois, c'est moi qui ai décroché. Quand je lui ai annoncé la nouvelle, il y a eu un grand blanc à l'autre bout de la ligne. Puis un murmure : « Je suis avec vous. Je suis avec vous. » L'année suivante, il m'a envoyé sa première carte de vœux. Et voilà tout. Je n'ai pas cherché à le revoir, je ne sais pas ce que nous nous serions dit. J'étais simplement heureuse de recevoir ses cartes. Je le suis toujours.*

Vous répondez ?

Oui. Quelques lignes. Mais j'ignore tout de sa vie. Élever seule notre Larry a été une épreuve. Me battre pour obtenir réparation auprès du département de la Défense pour la souffrance et la mort de Donald en a été une autre, qui ne s'est achevée que fort récemment. J'avais de l'affection pour Walter, je suppose que j'en ai toujours, mais pas au point de l'inviter chez moi pour évoquer le bon vieux temps. En réalité, il n'y a jamais eu de bon vieux temps.

SHIRLEY

LE CHAPITRE QUI SUIT EST L'UN DES PLUS DÉLICATS qu'il m'ait été donné de rédiger : non à cause de son sujet (la vie d'un jeune couple dans la Californie des années cinquante), mais parce que sa principale protagoniste, Shirley, était mourante au moment où j'ai commencé à y travailler.

Je rencontre Shirley Mendelson à trois reprises au cours de l'année 1997. Pour finir, je lui rends visite au Cedars-Sinai Medical Center – le descendant, en quelque sorte, de l'hôpital où fut soignée Batsheva –, et c'est le seul instant où il m'est loisible de lui poser quelques questions.

Ce jour-là, Shirley est alitée et se remet avec difficulté d'une chimiothérapie particulièrement agressive. Peu de temps auparavant, elle a fêté son soixantième anniversaire en réunissant autour d'elle, dans sa maison de Woodrow Wilson Drive, l'essentiel de sa famille : ses deux enfants, sa mère, ses deux petits-enfants, son frère, sa sœur, ses cousins et son neveu. Je reproduis ici la quasi-intégralité de notre échange.

Shirley, je voulais profiter de cette occasion pour revenir avec vous sur votre rencontre avec Frank.
(Elle sourit.) *J'ai rencontré mon futur époux chez un dentiste de Burton Way pour lequel je travaillais comme secrétaire. Vous connaissez Burton Way ? C'est à deux pas d'ici, vous pouvez aller voir en sortant, le cabinet n'existe plus bien sûr, mais... Excusez-moi, je raconte n'importe quoi. Donc, Frank avait une rage de dents et il est entré sans avoir pris rendez-vous en se tenant la mâchoire.*

Depuis combien de temps travailliez-vous là-bas ?
Deux mois.

Et que s'est-il passé ?
Oh, excusez-moi mais vous me faites penser à mon fils, Scott. Il a très peu connu son père, vous savez. Chaque fois qu'il le pouvait, étant petit, il me demandait de lui raconter l'histoire de notre rencontre. C'était comme une prière pour lui. Je... Désolée, je suis désolée. Où en étions-nous ?

À la rage de dents de Frank. Prenez votre temps.
Oui. Je suis entrée dans le cabinet du docteur Makaver – c'était son nom, comme dans ce roman de Bashevis Singer, vous l'avez lu ?

***Ombres sur l'Hudson*? Oui.**
J'ai supplié le docteur mais il ne voulait rien entendre : nous étions complets. Alors j'ai pris le carnet de rendez-vous et j'ai appelé une patiente qui ne devait venir qu'une heure plus tard, en lui expliquant que le rendez-vous était annulé. Et j'ai mis Frank à la place.

Pourquoi avez-vous fait ça ?
(Elle se redresse sur son oreiller. Sa voix est fluette, mais parfaitement intelligible.) *Avez-vous déjà connu l'amour, Fabrice ? Le seul, le véritable amour ?* (À cet instant, elle est prise d'une violente quinte de toux qui la plie en deux. Gêné, je lui tends son crachoir. Sans me quitter des yeux, elle s'essuie la bouche, me remercie dans un murmure. Puis elle repose elle-même le crachoir sur sa table de nuit.) *Alors ?*

Oui, je l'ai connu.
Parfait. Alors vous savez ce que l'on ressent. Je ne parle pas d'un coup de foudre de cinéma. Je parle d'une certitude. Un homme se présente devant vous, vous ne l'avez jamais vu et, pourtant, vous savez que vous allez faire votre vie avec lui et que vous allez être heureuse, quoi qu'il advienne. Voilà ce qui m'est arrivé : ni plus ni moins.

À quoi ressemblait votre mari ? J'ai vu des photos mais j'aimerais l'entendre de votre bouche.
Il était vieux, très vieux pour moi (elle rit), *plus de quarante ans, alors que je sortais à peine de l'adolescence. Il était chauve, bedonnant. Mais ses yeux ! Ses yeux riaient. Malgré*

la douleur, il ne pouvait les empêcher de rire. Et son visage respirait la bonté, l'honnêteté. Il portait un costume de flanelle, une chemise blanche, il s'épongeait constamment le front.

Votre dentiste n'a rien dit quand il a vu qu'il était toujours là ?
(Elle secoue la tête, cherche son souffle.) *Le docteur Makaver était habitué à mes frasques. Il n'a pas cherché à comprendre. Frank est ressorti de son cabinet au bout d'une demi-heure. Il allait visiblement mieux. Nous étions seuls dans le hall de réception, et il triturait son chapeau. « Je ne sais pas comment vous remercier, mademoiselle. J'aimerais... » Il fixait la pointe de ses chaussures. « Vous aimeriez m'inviter à dîner. » Il a relevé la tête. Jamais je ne me serais crue capable de dire une chose pareille. Il avait plus du double de mon âge, je n'avais jamais flirté avec un homme – oh, peut-être une fois ou deux, mais en toute innocence – alors pensez, un dîner ! Quelqu'un parlait à ma place. Frank s'est contenté d'opiner.*

Et il vous a bel et bien invitée.
Le soir même.

Voudriez-vous... (Je m'interromps. De nouveau, Shirley se met à tousser, mais cette quinte-là est pire que la première : bien pire. Littéralement, la malheureuse crache ses poumons, et un filet de salive descend entre ses lèvres. Je suis tétanisé. Elle se tape sur la poitrine, cherche l'air, m'adresse une supplication muette. Je sors dans le couloir, appelle une infirmière qui arrive en courant. On me demande de rester à l'extérieur. La porte se referme, et c'est le silence. Adossé

SAN FRANCISCO À LA FIN DES ANNÉES CINQUANTE (CLICHÉ DE RALPH MENDELSON, NON DATÉ).

au mur, les mains dans les poches, je ferme les yeux et j'essaie d'imaginer Shirley, quarante ans plus tôt ; j'essaie de la suivre, jeune Juive énamourée descendant les rues de San Francisco – cette ville que j'aime tant moi-même et dans laquelle, je le sais, elle a passé plus de vingt ans de sa vie. Enfin, l'infirmière ressort. La patiente, me dit-elle, a cessé de tousser, mais il a fallu lui administrer un calmant et, à présent, elle a besoin de repos. Je peux entrer deux minutes et revenir un autre jour, si c'est possible. J'obtempère, me compose un sourire, pousse la porte. Renversée sur son oreiller, paupières closes, Shirley ne semble plus m'entendre. Je m'approche sur la pointe des pieds. Soudain, sa main se lève et se referme sur mon poignet.) *Attendez...* (Elle tourne la tête vers moi, et ses yeux plongent au fond des miens.)

Shirley, si vous voulez...
Il ne me reste pas beaucoup de temps. Si vous tenez tant à parler de nous, alors dites que j'ai été heureuse avec mon Frank, de la première à la dernière seconde. Lorsque ma petite Debra est morte, il... il m'a tirée hors des flots. Et je me suis accrochée à lui de toutes mes forces, parce que je savais qu'il ne sombrerait pas, que rien ne pouvait le faire sombrer. Le dimanche, nous allions nous promener dans le Golden Gate Park, et il me chantait « All I have to Do is Dream » des Everly Brothers. (Elle susurre.) *« I need you so that I could die, I love you so and that is why, Whenever I want you, all I have to do is... drea-ea-ea-ea-eam, dream, dream, dream. »* (Ses doigts enserrent mon poignet. Elle tient à ce que j'écoute, comme elle écoutait jadis. Ses yeux s'emplissent de larmes. Dans mon dos, quelqu'un renifle. C'est l'infirmière, qui manifeste sa présence. Shirley me relâche.) *Appelez Carol. Appelez-la. Carol Symanski... Elle... Elle a déménagé mais... Demandez... à ma mère.*

L'infirmière s'approche. Je porte la main de Shirley à mes lèvres et l'embrasse avant de la reposer sur le drap, comme un trésor. L'infirmière, qui ne doit guère avoir plus de vingt ans, passe deux doigts sur le front de la malade. Shirley cligne des yeux en signe d'au revoir mais nous savons, elle et moi, que nous ne nous reverrons jamais.

Je rencontre Carol Symanski en janvier 1998, quelques semaines après avoir interviewé Leah au sujet de sa fille. C'est la vieille femme elle-même qui me transmet ses coordonnées. « *La meilleure amie de Shirley, me certifie-t-elle ; pendant vingt ans, elles ne se sont pas quittées d'une semelle.* » Âgée de soixante-quatre ans, Carol vit à Boulder, dans le Colorado, depuis son second mariage. Quoique entrecoupée de sanglots, notre première conversation téléphonique se révèle très concluante. Dès le lendemain, je réserve un billet d'avion pour Denver.

Arrivé sur place, il me faut louer une voiture. De fortes chutes de neige ralentissant le trafic, je n'arrive à Boulder qu'en début de soirée. Peu importe : Carol a proposé de m'héberger pour la nuit. Avec son époux, Clarence, et ses deux chiens, Howard et Curtis, elle habite une grande et belle maison d'architecte en lisière de forêt. C'est une femme charmante, à la figure noble et mélancolique. Visiblement, la mort de son amie l'a bouleversée. Un souper m'est servi. Nous dînons en silence. J'essaie d'alléger l'atmosphère en racontant quelques anecdotes sur mon travail, que Clarence a la politesse de trouver amusantes. Carol, elle, se contente de sourire en défaisant son chignon. Ses cheveux sont gris, très fins. Bientôt, elle se lève, et nous passons au salon – peaux de bête, trophées de chasse, feu de cheminée – pour siroter des tisanes de tilleul. Confortablement installé dans un fauteuil de maître, mains sur les accoudoirs, Clarence croise les pieds sur la table basse. Il y a quelques années, il a racheté une scierie dans les environs, et les affaires marchent bien pour lui. Depuis quand Carol vit-elle ici ? Elle interroge du regard son mari.

Depuis 1985. Son premier époux, Norman, est mort en 1983 d'un cancer du poumon. Bien, et Shirley ?

Pour commencer, je décris à Carol la nature de mon travail et lui explique en quoi je vais avoir besoin d'elle. Elle opine gentiment. Un cadre est posé sur son vaisselier : une photo d'elle et de Shirley, prise dans les années soixante-dix. La fille de Leah porte une veste de cuir cintrée et souffle un baiser à l'objectif. « *Elle était très séduisante, soupire son amie. Vous ne trouvez pas ?* » Je hoche la tête, et Clarence lève le pouce. « *Mais c'était la femme d'un seul homme : elle ne s'est jamais donnée à un autre. Vous en connaissez beaucoup, des comme elle, à notre époque ?* » Je réfléchis brièvement. « *Je ne crois pas* », dis-je. Mon hôtesse se rassied, satisfaite.

« *En 1955, Norman et moi venions de nous installer sur Parnassus Avenue, entre Belvedere et Clayton Street. C'était une jolie maison brune avec un bow-window, à mi-chemin de Golden Gate Park et de Buena Vista Park. Il y avait une petite allée sur la droite et une demeure blanche de l'autre côté, charmante, avec un escalier et un porche à colonnades : la maison de Frank. Frank était vendeur de voitures d'occasion. Il possédait un garage sur Market Street, de bonne réputation, mais nous n'avions jamais vraiment parlé avec lui. Jusqu'au jour où Shirley est arrivée : une jeune femme aux cheveux blond cuivré, coiffée d'un léger chapeau de feutre. Frank a posé ses valises sur le trottoir, et elle a regardé partout autour d'elle comme un enfant qui découvre le monde. Puis ses yeux se sont posés sur moi, debout sur le perron, et elle m'a saluée d'un signe de tête, comme pour dire : "Nos vies sont liées, mais nous parlerons plus tard." Une semaine après, nous étions devenues les meilleures amies du monde.* »

Carol repose sa tasse. « *Shirley était juive très pratiquante, contrairement à moi. Elle observait les commandements, allumait les bougies, célébrait les fêtes religieuses. Comme sa mère avant elle, elle avait insisté auprès de Frank pour que leurs enfants gardent son nom. Elle avait un côté très prosélyte – "Carol, tu devrais prier plus souvent, qu'est-ce qui t'en empêche ?" Elle me traînait sans cesse à la synagogue.* »

Je lève la main, comme un élève. Si je ne l'arrête pas maintenant, elle va raconter jusqu'à l'aube. Son mari, lui, a déplié un exemplaire du *Denver Post*. Il nous écoute à peine. « *Que faisait Shirley quand elle est arrivée ?* »

Carol me verse un peu de tisane puis croise les mains sur ses genoux tandis que l'un de ses chiens, un sympathique *border collie* aux pattes toutes crottées, vient se coucher à ses pieds en remuant la queue. « *La première chose qu'elle a faite, c'est se marier. On devait être en mars 1955. Un mariage civil comme sa mère – Frank ne tenait pas à la synagogue. Puis elle est tombée enceinte, et Tammy est née, quelques jours avant Noël.* » Je hausse les sourcils. « *Mariage civil, vous êtes sûre ?* » Carol acquiesce. « *C'était la plus belle preuve d'amour qu'elle pouvait offrir à son mari. Elle était juive, mais éprise avant tout, terriblement éprise. La passion qu'elle éprouvait pour Frank excédait celle que lui inspirait la religion, et je vous assure que ce n'est pas peu dire.* » Je ne peux qu'opiner.

L'histoire se poursuit. En 1956, Carol ne travaille pas. Son mari est directeur adjoint d'une entreprise de bâtiment et il rentre tard le soir. Shirley reste seule elle aussi, avec sa petite Tammy. Les deux jeunes femmes se voient pratiquement tous les jours. Une année s'écoule, paisible. Norman et Frank sympathisent à leur tour. Les deux couples passent l'essentiel de leurs dimanches ensemble. Norman, qui est âgé d'une trentaine d'années, refuse d'avoir des enfants. C'est le grand drame de Carol, qui, du coup, reporte toute son affection sur ceux de son amie.

En novembre 1956 naît en effet Debra, la deuxième fille du couple. « *Shirley voulait en avoir cinq, se souvient mon hôtesse. Peut-être plus. Malheureusement, les choses ne se sont pas passées comme prévu. Debra est tombée malade, une maladie horrible. Les premiers symptômes sont apparus dès le début de l'année suivante. La Terre s'est alors arrêtée de tourner.* »

La maladie de Canavan est une pathologie neurologique gravissime qui se transmet sur un mode récessif : les parents peuvent la passer à leurs enfants sans qu'elle se soit manifestée chez eux. Elle se traduit par une atteinte progressive de la myéline, censée isoler et protéger les fibres nerveuses. Les signes apparaissent dès les premiers mois de la vie de l'enfant : baisse de tonicité musculaire, hydrocéphalie, cécité, surdité, convulsions. Le décès intervient généralement dans les deux ans. La plupart des patients sont d'origine juive ashkénaze. La mère de Debra n'avait aucun moyen de deviner qu'elle était porteuse à l'époque. Du reste, l'était-elle vraiment ? En 1998, j'ai posé la question à Leah, et sa réponse a été sans appel : à sa connaissance, aucun membre de sa famille n'avait jamais été atteint d'une affection similaire. Le problème pouvait donc très bien venir de Frank. « *Bah, murmure Carol, quelle différence ?* »

Elle poursuit : « *Shirley est restée deux ans au chevet de son trésor. Deux années terrifiantes, croyez-moi. Chaque jour était pire que le précédent. Norman m'assurait que leur couple n'y résisterait pas. Mais il a résisté.* » De ses doigts serrés, elle écarte une mèche de son front. « *Comme tout le monde, je me sentais totalement impuissante. Je ne pouvais que proposer mon aide pour garder Tammy. Leah est venue – le plus souvent possible. Et Doris aussi, une fois ou deux pendant les vacances. Il n'y avait rien à espérer, aucun traitement à tenter. Le soir venu, les Mendelson nous invitaient chez eux, et nous jouions aux cartes. La petite reposait dans son berceau, à nos côtés. Shirley prétendait que ça lui faisait du bien, qu'elle nous sentait. Mais la malheureuse était sourde et aveugle. À chaque instant, elle menaçait de s'étouffer. Je vous laisse imaginer dans quelle atmosphère se déroulaient ces soirées. Shirley était véritablement héroïque. Elle servait à boire aux hommes, elle s'occupait de tout avec un parfait naturel. Il n'y a que lorsque nous étions toutes les deux et que Tammy dormait qu'elle se laissait aller à pleurer, la tête posée sur mon épaule. Elle disait… Elle disait qu'elle devait tenir bon pour sa fille. Que la dernière chose dont Debra avait besoin, c'était de tristesse. Mais ça n'a pas empêché…* »

Elle s'arrête, comme au bord d'un précipice. Clarence froisse son journal et se lève pour aller jeter des bûches dans l'âtre. L'espace de quelques minutes, seul leur doux crépitement trouble le silence.

L'histoire reprend. Le deuil inévitable. La dépression de Shirley, le refuge dans la religion. Mais les premiers mots de Tammy aussi, petite blonde aux yeux bruns, si gracieuse dans ses robes d'été !

Sur l'essor culturel de San Francisco, la naissance de la Beat Generation, l'arrivée des beatniks, Carol ne m'apprendra pas grand-chose. De toute évidence, Frank et Shirley menaient une vie modeste et paisible, loin de l'effervescence des milieux culturels locaux – même si la jeune femme était liée avec une vendeuse d'un dépôt de vêtements « pour le moins artisanal », selon les termes de son amie.

Scott Mendelson voit le jour en 1964. Pour la famille Mendelson, c'est presque une résurrection. « *Après la mort de Debra, explique Carol, Shirley avait juré qu'elle n'aurait plus jamais d'enfants. Elle priait sans relâche, se recroquevillait sur elle-même. Quant à Frank... Eh bien, il suivait le mouvement, si l'on peut dire. Vouant à son épouse une adoration sans bornes, il n'essayait jamais de lui imposer ses choix. C'était une attitude très rare à cette époque, et réellement surprenante de la part d'un homme tel que lui, âgé de plus de cinquante ans et que tout le monde, parmi ses pairs, s'accordait à reconnaître comme un leader né (il avait acheté deux autres garages en 1963, dont un à Sacramento). Et puis Scott est arrivé, oui. J'étais si heureuse pour Shirley et les siens. Tammy était une enfant adorable mais, comment dire ? Elle avait été conçue avant. La venue d'un petit frère a bouleversé la donne. Naturellement, Frank et Shirley étaient terrifiés. Mais Scott s'est révélé un petit garçon tout ce qu'il y a de plus normal.* »

Quelques années de bonheur encore, et nous débordons, bien au-delà de 1965 – je me figure soudain que nous ne reviendrons plus sur la vie de Frank et Shirley à San Francisco, ces années-là appartiennent à un autre temps. Dès lors, pourquoi ne pas conclure cette histoire ici ?

Carol divague, se laisse porter. Fêtes joyeuses entre amis, promenades au parc, expositions de peinture, concerts de jazz, et même un voyage au zoo de San Diego en 66, avec une halte à Los Angeles pour rendre visite à Alfred, qui vient de se marier et d'avoir un enfant lui-même. Puis le rideau tombe sur la scène avec une brutalité choquante.

Carol me regarde. Debout à ses côtés, Clarence lui caresse la nuque. « *C'est arrivé un soir de février 1967, raconte-t-elle, comme si elle s'apprêtait une deuxième fois à sceller le sort de son amie. Le vent soufflait très fort dehors, et moi, j'étais dans mon bain. Shirley a sonné, je ne l'ai pas entendue. C'est Norman qui est venu me chercher. "Il se passe quelque chose de grave." J'ai enfilé un peignoir et je suis descendue. Mon amie vacillait sur le seuil. Elle tenait Scott dans ses bras et Tammy par la main. "Frank est tombé, a-t-elle annoncé, hébétée. Je crois qu'il est mort." Nous nous sommes précipités. La porte était restée grande ouverte. Frank était étendu au milieu du salon. Norman m'a fait*

February 13, 1967
We were informed of Frank's death this morning. A dreadful tragedy! We're leaving this very evening.
We're prostrate with grief, for the exceptional man he was, and for my dear little niece, already so tried and tested by fate.

JOURNAL INTIME DE DAVID. 13 FÉVRIER 1967. *Avons appris ce matin la mort de Frank. Drame affreux ! Nous partons dès ce soir. Sommes effondrés : pour l'homme exceptionnel qu'il était, et pour ma chère petite nièce, déjà si durement éprouvée par le sort.*

signe d'emmener les enfants à l'écart. Il m'a repoussée sur le seuil et a appelé les pompiers. Puis il a tenté de faire du bouche-à-bouche à Frank. Mais c'était trop tard, bien trop tard. Une sirène a fini par retentir. Les sauveteurs n'ont pu que constater le décès. Crise cardiaque. »

La plupart des Mendelson viennent assister aux obsèques de Frank. La gentillesse proverbiale de l'homme, sa bonne humeur inébranlable avaient depuis longtemps conquis le cœur de Leah et des autres. Les mains plongées dans les poches d'un imperméable trop large pour lui, Roy Langson, qui s'apprête à fêter ses quatre-vingts printemps, passe un bras autour des épaules de sa fille et lui demande doucement si elle veut « revenir vivre à la maison ». Shirley éclate en sanglots.

Elle restera à San Francisco. Elle y restera huit ans encore – jusqu'à ce que Tammy, qui vit une scolarité difficile, en termine avec le lycée –, après quoi elle partira pour

Maison de Shirley à Los Angeles (cliché de Ralph Mendelson, non daté).

Los Angeles et les abords de Mulholland Drive où, grâce à l'argent laissé par Frank et à l'assurance-vie qu'il a souscrite pour elle, elle achètera une magnifique maison, perdue dans un océan de verdure[1].

« *Après la mort de Frank, conclut Carol, plus rien n'a été pareil. Norman et moi avions presque honte : honte d'avoir été à ce point épargnés par le destin alors que notre amie, par deux fois, avait été si cruellement frappée. Mais comme on pouvait s'y attendre, Shirley a fait preuve d'un courage exceptionnel. Tenez, je dois vous raconter autre chose. Ça s'est passé le jour où Norman est mort ; en 1983, donc. Shirley était retournée vivre à Los Angeles. Je l'ai appelée pour lui apprendre la nouvelle. Elle a aussitôt fondu en larmes. Pour ma part, j'avais tellement pleuré que je ne m'en sentais plus la force. C'était si bizarre de l'entendre ainsi ! Quand elle est enfin parvenue à se calmer, elle m'a demandé pardon. Pardon de l'avoir abandonnée. "Tu as toujours été là pour moi, a-t-elle gémi. Et moi, je suis partie comme une voleuse. J'aurais dû savoir que ce jour arriverait." J'ai essayé de protester mais elle n'a rien voulu entendre. Le lendemain, elle sonnait à ma porte. Je l'ai laissée entrer sans mot dire. Elle est partie en cuisine et elle a commencé à me faire à manger. Puis, quand elle eut terminé, elle est passée au salon, elle a ouvert notre carnet d'adresses et elle s'est mise à appeler tout le monde —je dis bien tout le monde, y compris des gens que je connaissais à peine, des relations de Frank. "Je veux que cette maison soit remplie nuit et jour, a-t-elle déclaré. Pas de discussion." J'ai compris plus tard qu'elle suivait les prescriptions de sa religion à la lettre. En définitive, elle est restée un mois. J'ignore ce que je serais devenue sans elle.* »

---

1. *De cette maison, de la jeunesse de Scott et de Tammy, il est évidemment question dans le tome 3 de* La Saga Mendelson, Les Fidèles.

VERTIGO

À LA FIN DES ANNÉES CINQUANTE, Ralph Mendelson n'a toujours pas trouvé sa voie. Comme plusieurs membres de sa famille, faute de mieux, il donne des cours – notamment d'hébreu. Ayant fait l'acquisition, grâce à l'argent de sa grand-mère, d'un studio à Santa Monica, il se consacre au surf, à la guitare et aux amours inachevées. On sait aussi qu'il écrit un roman : une histoire de six cents feuillets dont il ne nous reste malheureusement qu'un titre : *The Happy Victim*.

« *Bah, ricane l'intéressé, ce truc est devenu une légende dans la famille, même si Doris et Alfred sont les seuls à l'avoir lu. Ça racontait l'histoire d'un détective privé établi à Chicago et dont le principal client était un golem très autoritaire qui le forçait à pister ses petites amies successives. Il y avait des pages entières sur la kabbale, les super héros, les méthodes d'autopsie et le régime alimentaire des requins bleus. C'était censé être très drôle et philosophique. Avec le recul, je pense que c'était uniquement philosophique, et pas dans le bon sens du terme.* »

Doris est plus indulgente : « *C'était assez hilarant : une préfiguration des romans de Brautigan, avec un sens de l'absurde particulièrement poussé. Mais il y avait des passages assez durs à avaler. Pour moi, avec un peu de travail, ça aurait pu être publiable.* »

Alfred est d'un avis similaire : « *Je devais avoir une vingtaine d'années quand je l'ai lu, et ça a été un choc. Ça parlait de drogue, de sexe, de sectes déjantées – ça parlait de crimes absurdes et de mystique juive revue à la sauce Superman : je ne pouvais rien souhaiter de meilleur. L'espace de quelques mois, mon cousin est devenu une sorte de héros à mes yeux. À plusieurs reprises, j'ai pensé à la façon dont David aurait réagi si cet OLNI*[1] *était tombé un jour entre ses mains. Je suis très heureux que ça ne soit jamais arrivé. Il n'existait qu'un exemplaire du manuscrit, et Ralph l'a fait disparaître une fois que nous le lui avons rendu, après avoir recueilli l'avis d'un ami éditeur qui n'a pas dû le ménager beaucoup.* »

Vendeur dans une boutique de vêtements pour motards, poète amateur animant des ateliers plus amateurs encore, gardien privé pour animaux de compagnie, photographe spécialisé en ornithologie, Ralph « fait tout » ou presque dans les années cinquante. Où est passé l'étudiant studieux,

---

1. *Objet Littéraire Non Identifié.*

est-il permis de se demander : celui qui observait scrupuleusement les interdits de Pessa'h et étudiait le Talmud avec une sorte de fureur sacrée ?

« *Ces années-là se trouvaient derrière moi, confirme l'intéressé. Je m'étais pour ainsi dire vidé de ma foi. Pour donner le change, je feignais de m'intéresser aux philosophies bouddhistes, au tao, au yi-king. J'avais vu des photos de Dachau et de Treblinka : Dieu ne me paraissait pas exactement prioritaire.* »

En 1956, Ralph travaille comme gardien de nuit à l'observatoire Griffith, qui offre un panorama exceptionnel sur Los Angeles et que le monde entier vient de découvrir dans *La Fureur de vivre*, avec James Dean. C'est à cet endroit qu'une rencontre manque changer sa vie.

« *C'était le 30 septembre, se souvient-il, le jour anniversaire de la mort du beau James. Des étudiants s'étaient réunis sur la pelouse pour une prétendue cérémonie de commémoration. Ils avaient bu comme des trous, ils faisaient du tapage, et je suis sorti leur demander de baisser d'un ton. Comme on pouvait s'y attendre, ça a assez mal tourné : mon collègue est arrivé à son tour, il était plus âgé que moi, moins patient, il a appelé les flics, et les jeunes sont devenus à moitié fous. L'un d'eux a sorti un couteau comme dans le film. Une fille s'est interposée, une Noire sublime qui semblait sortie d'un rêve. Lorsque la police est arrivée, j'ai pris sa défense. Ils ont embarqué tout le monde sauf elle. Mon collègue secouait la tête. Finalement, j'ai terminé mon service avec deux heures d'avance et je suis redescendu avec la fille. Elle s'appelait Charmaine, elle avait vingt-quatre ans, elle riait très fort et, au premier abord, il m'a semblé qu'elle était parfaitement normale. Sans nous en rendre compte, nous avons discuté jusqu'à l'aube. Charmaine appartenait à la Church of God and Saints of Christ, une organisation d'Hébreux noirs[1] basée en Virginie qui attendait le Christ. Au départ, ça m'a paru amusant. Les membres de son Église prétendaient que les Noirs américains étaient les descendants des tribus perdues d'Israël ; ils étaient menés par un certain Howard Z. Plummer et observaient un mélange de rites juifs et chrétiens issus aussi bien de l'Ancien que du Nouveau Testament. Par ailleurs, Charmaine avait une chute de reins à laquelle il était difficile de rester indifférent. Nous nous sommes revus le lendemain, et tous les jours après ça. Deux semaines plus tard, elle s'installait dans mon studio. Elle allait y rester treize mois : les treize mois les plus pénibles de toute mon existence – Vietnam compris. »*

« Oui, confirme Doris, j'ai connu Charmaine, qui ne l'a pas connue ? Une jeune fille exubérante, follement drôle et dotée d'une énergie inépuisable. Elle était aussi schizophrène au dernier degré : c'est un diagnostic qui nous été confirmé par un ami psychiatre quelques semaines avant que Ralph ne se décide à la mettre dehors. Elle s'était installée chez lui avec armes et bagages et elle était déterminée à lui mener une vie impossible. Elle lui reprochait tout : de ne pas être noir, de ne pas vouloir rejoindre Israël, de ne pas avoir connu les camps, de ne pas avoir la foi, de ne pas vouloir l'épouser tout de suite. Ses parents étaient morts très jeunes, elle était tombée sous la coupe de cette secte, elle se pensait vraiment plus juive que juive, et nous ne savions pas du tout quoi faire d'elle. Leah la détestait. Elle suppliait Ralph de la quitter – nous le suppliions tous –, mais

---

1. Les Hébreux noirs sont un ensemble de groupes afro-américains considérant que les Israélites de l'Ancien Testament étaient en fait des Noirs, et que les Noirs actuels sont leurs descendants.

Charmaine le maintenait sous son emprise, un mélange de séduction animale et de perversité intellectuelle. Ralph n'était pas au mieux, à cette époque. Elle l'avait très vite compris. Elle voulait qu'il écrive un second roman, de trois mille pages, sur les tribus perdues d'Israël. Elle lui disait qu'il était peut-être le Messie. Elle avait eu des visions, affirmait-elle. À d'autres moments, elle le battait. Je ne plaisante pas : il portait des marques de coups. Naturellement, il refusait de se défendre. Jusqu'au jour où elle lui a cassé un vase en porcelaine sur le crâne. Alors, enfin, il s'est décidé : il lui a collé une gifle. Elle est partie en le maudissant, et tout Santa Monica a dû entendre ses cris. Ralph a eu la présence d'esprit de m'appeler. Je suis venue au milieu de la nuit, et la première chose que je l'aie forcé à faire, c'est changer de serrure. Charmaine est revenue à la charge : une véritable furie. Ma mère a insisté pour que Ralph vienne s'installer à Beverly Hills pendant quelques semaines, et il a accepté de bon cœur. Il avait maigri, il ne se rasait plus. "Nous allons te requinquer", a promis Roy. Et ils ont largement tenu parole, ma mère et lui. Trois semaines plus tard, dans une librairie downtown, *mon cher cousin rencontrait Joan, une jeune et belle étudiante en lettres qui riait toute seule en parcourant* Sexus *de Henry Miller. Il a eu le courage de l'aborder. On connaît la suite ! Après ça, Charmaine a réapparu une paire de fois, menaçant, au choix, de se suicider, de mettre le feu à notre maison, de nous livrer à un groupuscule de nazis argentins ou de faire enlever son "fiancé" pour l'emmener à Jérusalem. Mais finalement, c'est elle qui est repartie, à Belleville en Virginie, et très certainement pour toujours. »*

En juin 1957, Alfred termine ses études de scénariste à l'UCLA et commence à chercher une occupation professionnelle tout en se consacrant à l'écriture de son premier long-métrage. Depuis plusieurs années, sur les conseils de sa mère, il entretient une correspondance avec son oncle David. Et même si ce dernier a abandonné le cinéma trente ans auparavant – même, surtout, si le Hollywood de 1957 n'a plus grand-chose à voir avec celui des années vingt – cet échange lui semble excessivement profitable.

C'est alors qu'une opportunité miraculeuse se présente. Nous sommes en août. Un certain Marcus Newman, père d'un camarade de promotion, vient de se démettre une épaule alors qu'il devait travailler comme machiniste sur, *Vertigo*[1], le prochain film d'Alfred Hitchcock. Déjà engagé sur un autre projet, son fils ne peut le remplacer. Il se tourne vers Alfred. Ce dernier serait-il intéressé ? Le jeune Mendelson hésite : il a été formé à l'écriture de scénario, et le métier de machiniste (fixation et déplacement

Une affichette du *Vertigo* de Hitchcock, conservée par Alfred Mendelson.

1. *En français :* Sueurs froides.

des caméras, gestion des lumières) lui est pratiquement étranger. Sur l'insistance de son ami, il accepte cependant de rencontrer son père.

« *Marcus Newman était très gentil, me raconte Alfred : il tenait vraiment à ce que j'aie le job. En quatre jours chrono, il m'a enseigné les rudiments du métier. Comme je tergiversais encore, il m'a expliqué qu'il avait déjà parlé de moi à l'équipe de Hitchcock, et que l'affaire était arrangée. "Entre Alfred, vous allez bien vous entendre, hein ?" Il n'y avait plus moyen de reculer.* »

Dès le cinquième jour, le jeune Mendelson est intégré à l'équipe. « *Personne ne m'a posé de questions sur mon expérience. C'était plus un métier d'exécutant qu'autre chose et, de toute évidence, Hitchcock avait d'autres chats à fouetter.* »

Début octobre, Alfred prend le car pour San Francisco. Hitchcock tourne dans le Presidio, au York Hotel, au Palais des Beaux-Arts, sur Lombard Street et Mason Street, au California Palace of the Legion of Honor, à la Mission Dolores, etc. Le travail n'a rien de reposant. Hitchcock est un perfectionniste, qui n'hésite pas à passer une demi-journée sur un plan unique. Le jeune Mendelson n'en est pas moins au paradis : James Stewart lui signe un autographe, il discute avec Kim Novak...

« *Ce qui est drôle, dit-il, c'est que personne ne se rendait compte que nous étions en train de tourner l'un des plus grands films de l'histoire du cinéma. Les relations entre James*[1] *et Alfred étaient souvent tendues, même si empreintes d'un respect indéniable.* Vertigo *a été un semi-échec au box-office et n'a pas remporté le moindre Oscar.* »

---

1. *James Stewart.*

Dear Uncle,
The clapperboard marked the final shoot! Exhausted but happy.
I've got the feeling this film will stand out in times to come.
The Great Hitch reportedly fell for Frisco at first sight. He is
said to have declared it 'the ideal location for murder mystery' as
he contemplated the bay. That's how stories are born

LETTRE D'ALFRED À DAVID. *Cher oncle, Le clap de fin a retenti ! Fourbu mais heureux. J'ai le sentiment que ce film fera date. On raconte que le Grand Hitch est tombé amoureux de Frisco au premier coup d'œil. « L'endroit idéal pour un drame policier », (<a murder mystery>) aurait-il déclaré en contemplant la baie. Ainsi naissent les histoires.*

Aussi fréquemment que possible, c'est-à-dire le dimanche et certains soirs de relâche, Alfred rend visite à sa sœur, les bras chargés de cadeaux pour ses nièces. Debra n'a pas un an mais elle est déjà aveugle, et pratiquement sourde. Son crâne rasé donne l'impression d'abriter une poche de plastique.

« *Je la prenais contre moi, raconte Alfred, et je l'emmenais sur le porche, emmitouflée dans ma parka, pour lui faire respirer l'air du dehors. Elle était légère comme une plume mais elle se laissait faire. Invariablement, Shirley finissait par apparaître. On aurait dit un ange un peu inquiet –je l'ai toujours vue comme ça, d'ailleurs : quelqu'un que le mal ne pouvait pas atteindre. Mais toute cette histoire me dépassait. J'avais envie de poser un tas de questions à ma sœur, des questions sur Dieu, sur la raison qui poussait Dieu à permettre un tel désastre. Mais je savais qu'elle avait réponse à tout, et que ce genre de question ne nous menait jamais nulle part. Debra souriait, parfois. Elle était toujours à moitié endormie. À quoi pouvait-elle donc sourire ?»*

Avant de se coucher, sur les coups de minuit, Alfred écrit des lettres succinctes (et délirantes) à son cousin Ralph – et d'autres, succinctes seulement, à son oncle David.

Le 10 octobre,

À : Ralph le fou, roi du surf et futur messie de la Church of God and Saints of Christ.

Cher vieux briscard,

Journée éreintante ici. Hitchcock se fout de savoir qui est fatigué, qui ne l'est pas, qui a une nièce mourante, etc. Seule l'intéressent Kim Novak (on le comprend) et la perfection glacée de chaque plan.

J'espère que tu roucoules allégrement, que ton nouveau travail à l'Observatoire se passe bien et que le fantôme de James Dean ne t'importune pas trop. Spoutnik 1 tourne toujours. À quand la bombe ? En attendant la fin du monde, veuillez recevoir, très cher confrère, l'expression de mes sentiments, mitigés et circonspects,

A. Mendel-son

Cher oncle,

Le film du Grand Alfred me laisse peu de temps. À peine si je trouve une minute pour vous écrire ! Suivant vos conseils, je m'efforce toutefois de travailler chaque jour à mon scénario avant de m'écrouler de sommeil. Comme je vous le disais, il s'agit d'une histoire de la vie de Rudolph Valentino, de son vrai nom Rodolfo Alfonso Raffaello Piero Filiberto Guglielmi di Valentina d'Antoguolla (il m'a semblé que cela ferait un titre un peu long). L'intrigue s'articule, au moment de l'enterrement de l'acteur dans les rues de New York, en une série de flash-back rêveurs. Je serais ravi de vous envoyer un premier jet dès que possible : vous savez combien votre avis m'importe.

J'espère que vous allez bien, et Helena aussi, et Walter.

Je suis à San Francisco pour quelques semaines encore. Vous pouvez m'écrire chez Shirley. Je reste, en cette attente, votre dévoué,

Alfred M.

Le tournage de *Vertigo* s'achève en décembre. Le film sortira l'année suivante dans une relative indifférence. Il est maintenant considéré comme une œuvre majeure de l'histoire du septième art.

Un an plus tard, le fils de Roy et de Leah est de retour à Los Angeles. Son travail avec Hitchcock sera resté une expérience sans lendemain. Seul ou en équipe, il s'attelle désormais à la rédaction d'une multitude de scénarios dont bien peu, hélas, verront le jour.

« C'était Hollywood, lâche-t-il aujourd'hui, un brin désabusé. Ça avait toujours été comme ça, et il n'y avait pas de raison que ça change. Des projets se montaient et tombaient aussitôt aux oubliettes. D'autres étaient finalisés mais votre nom disparaissait à la dernière minute, ou bien vous suppliiez pour qu'il disparaisse. J'essayais de ne pas me formaliser plus que de raison. Autant apprendre à dompter le vent. »

Pour gagner sa vie, le jeune Mendelson donne des cours de comédie à Beverly Hills et dans les environs. C'est dans ces circonstances qu'il fait la connaissance de Judith, petite Française tout juste âgée de dix-huit ans qui travaille à Bel Air comme jeune fille au pair.

« Elle arrivait de Paris, raconte Alfred. Elle s'occupait de deux enfants dans cette immense villa – deux démons authentiques, soit dit en passant – et nous nous croisions chaque matin. Un jour, nous nous sommes mis à parler. Elle s'exprimait dans un anglais impeccable. Nous discutions sur la terrasse au soleil. C'était devenu une sorte de rituel. Il s'est passé plusieurs mois avant que nous ne comprenions que nous étions totalement fous l'un de l'autre. (Rires.) *L'été déferlait sur Los Angeles.* (Rires.) *Hormis pour leurs cours, les parents des garçons n'étaient jamais là : grave erreur !* (Rires.) *Après leur départ, je m'attardais. Le soir venu, Judith préparait des cocktails à base de vermouth dry, de Campari et de curaçao bleu. Nos hôtes possédaient un bar impressionnant. Nos conversations variaient sans cesse. Je crois que c'est ça qui m'a séduit chez elle – en sus de sa beauté : on pouvait parler de tout. Du vice-président Nixon, que nous haïssions cordialement. Du* Lolita *de Nabokov, qui venait de sortir. D'Elvis Presley, du général de Gaulle, de la conquête spatiale, de nos tribus respectives. Je voyais ma famille comme un conglomérat*

d'artistes refoulés et de casse-cou congénitaux. Elle voyait sa famille comme un conglomérat d'artistes refoulés et de casse-cou congénitaux : il y avait un philosophe parmi eux, un activiste politique, un cascadeur, toute une flopée de Français énervés, et même une patronne de maison close en Belgique. Une chose en entraînant une autre, nous avons fini par nous embrasser. Un soir mémorable : nous étions sur la véranda, il pleuvait à torrents, et les enfants étaient montés regarder la télévision. Nous sommes restés assez chastes, quand on y pense. Mais elle fermait les yeux en murmurant mon nom. À un moment, elle s'est détachée de moi : les garçons hurlaient à l'étage. Je l'ai suivie du regard tandis qu'elle montait les escaliers. Elle portait une jupe noire impitoyablement serrée. J'ai porté une main à mes lèvres. J'étais incontestablement et définitivement fichu. »

En décembre 1958, la santé de Debra se détériore brusquement. La petite fille, qui n'est plus capable de digérer sa nourriture, s'étouffe régulièrement. Le médecin de famille, un certain Steiner qui la suit depuis les premiers jours, explique froidement aux parents que son espérance de vie se compte dorénavant en semaines.

« *Shirley m'a appelée en pleurs, se souvient Doris, qui occupait alors un poste de professeur d'histoire au lycée. Elle avait tenu le cap fièrement pendant deux ans mais à présent, ses forces l'abandonnaient. J'ai compris que nous devions faire quelque chose. J'ai appelé Ralph, j'ai appelé ma mère, et nous sommes partis tous les trois pour San Francisco, où Alfred nous a rejoints peu après, pour y établir notre campement. Leah dormait chez les voisins. C'était à la fois pathétique et superbe – une sorte d'union sacrée. Nous nous relayions sans répit au chevet de Debra. Alfred était venu avec Judith – la « petite Française », comme nous l'appelions alors – et Ralph nous avait présenté Joan, que nous pensions n'être qu'un flirt. Frank, lui, ne cessait de plaisanter. Il se mettait en quatre pour nous être agréable. C'était sa façon de s'excuser. Mais il n'avait pas à s'excuser. L'apocalypse était là.* »

Ralph émet un point de vue convergent. « *Après ce que j'avais traversé, je vivais sur un petit nuage avec Joan. C'était Eros et Thanatos, à longueur de journée. La nuit, Debra toussait à n'en plus finir, et nous nous bousculions dans la pénombre. Doris était systématiquement la première sur les lieux – après Shirley. Ma tante ? Nous la laissions dormir. Nous étions là, la*

December 10, 1958
Sad tidings! Shirley's situation is worsening. According to Leah, whom I reached by phone at noon, little Debra will not see Christmas. It's a dreadful tragedy that we'll all have to face, united against adversity with the help of the Almighty.

JOURNAL INTIME DE DAVID. 10 DÉCEMBRE 1958. *Malheur ! La situation empire du côté de Shirley. D'après Leah, que j'ai eue ce midi au téléphone, la petite Debra ne verra pas Noël. C'est une horrible tragédie, mais nous devons faire face, unis dans l'adversité, avec l'aide du Tout-Puissant.*

génération future, avec nos femmes en devenir et nos espoirs avortés ; nous étions là, nous nous tenions la main et nous échangions des serments d'amour à travers le crépuscule. Shirley était en sueur. Joan lui passait un linge mouillé sur le front. Quand il s'agissait de réconforter les gens, elle était très forte elle aussi. »

Chaque soir, David appelle pour s'enquérir de la santé de sa petite-nièce. Son travail à l'agence l'accapare sans merci – il est désolé, tellement désolé de ne pouvoir se trouver à San Francisco avec Shirley, il prie pour elle tous les jours, désire-t-elle qu'il vienne ? Elle n'a qu'un mot à dire. Elle ne le dit pas. « *Merci, David. Vos prières sont essentielles, ne vous arrêtez pas.* »

Et Walter ? « *Personne n'attendait Walter, soupire Doris. Walter ne donnait jamais de nouvelles. Il avait dû appeler une fois, au début, puis il était retourné à son silence. Nous savions vaguement qu'il travaillait au département Histoire de l'université de Columbia, comme archiviste ; nous avions entendu dire aussi qu'il donnait des leçons de cymbalum, et voilà tout. Son séjour à l'armée nous l'avait rendu plus sauvage encore. Un jour, pourtant, quelqu'un sonne à la porte. Je suis allée ouvrir, poursuit Doris, et c'était lui, un bouquet de roses à la main. "Salut, a-t-il grogné en passant devant moi." Frank ne l'avait jamais vu de sa vie. Mon cousin lui a broyé l'épaule. "Alors, c'est vous, le fameux mari. Vous êtes un héros, vous savez ça ?" À son frère, prostré sur le divan, il a adressé un bref salut militaire. Puis il est monté à l'étage et il s'est agenouillé devant le lit de Debra, qu'il n'avait jamais vue non plus autrement qu'en photos. "Hello, princesse." Il chantonnait. Je me tenais sur ses talons, hésitant à partir. Shirley s'est levée. Walter s'est redressé et lui a tendu les fleurs. "Salut, petite cousine. Je suis venu pour m'occuper de vous." Croyez-le ou non, elle est tombée dans ses bras. Elle savait exactement quelle valeur accorder à ce geste, elle lisait dans l'âme des gens, ma sœurette.* » Doris renifle, un ricanement s'échappe de ses lèvres. « *Walter a été extraordinaire. C'est fou comme les gens peuvent changer, comment un simple événement peut changer les gens. Pendant un moment, j'ai cru que c'était Ralph qui l'avait appelé pour le convaincre de venir. Je me trompais. Seul mon oncle lui avait téléphoné. Et c'est lui qui avait décidé de venir, lui seul, un beau matin.* »

Walter se démène. Il fait les courses, appelle le rabbin, emplit la maison de fleurs, joue des airs de flûte klezmer. « *Une métamorphose, renchérit Ralph, je ne trouve pas d'autres mots. Un soir, nous sommes sortis nous asseoir sur les marches avec un paquet de cigarettes. Alfred se tenait derrière nous, appuyé sur les coudes, tête renversée. Il faisait des ronds de fumée. Nous étions tous les trois en bras de chemise et nous grelottions comme des idiots. "Tragique", ai-je murmuré. Sur le perron voisin, le mari de Carol était sorti lui aussi. Il nous a adressé un signe de tête. "En tout cas, ai-je ajouté, voilà qui me conforte dans mon projet de ne pas avoir d'enfants." Walter a haussé un sourcil. "Qu'est-ce que tu viens de dire ?" Il me fixait, surpris. "T'as très bien entendu, ai-je répondu. Joan en voudrait, mais c'est parce qu'elle en a vu un une fois dans un jardin. Elle ne se rend pas compte des emmerdements." J'ai tiré sur ma cigarette avec un air de triomphe modeste. "Quels emmerdements ?" a demandé Alfred derrière nous. J'ai fait comme si je ne l'entendais pas. Walter s'est redressé, puis il m'a ôté ma cigarette de la bouche et l'a jetée sur le trottoir. "Hé !" Il regardait droit devant lui. "Ralph Mendelson, a-t-il commencé, cela fait trente ans que je meurs d'envie de te casser la figure, et Dieu sait que je t'ai réglé déjà ton compte à plusieurs reprises, mais cette fois, tu mériterais vraiment une correction maison." J'étais stupéfait. Il s'est levé, a fait un pas ou deux sur le trottoir, puis s'est retourné d'un bloc. "Quand vas-tu te décider à faire quelque chose de ta vie, petit frère ? Je te le demande avec amour. J'ai le même âge que toi, j'ai participé au Débarquement, j'ai regardé tomber la bombe, mon meilleur ami est mort, je suis descendu au fond du trou, j'ai regardé les ténèbres en face, et tu sais quoi ? Je suis remonté. Parce que la vie est tout ce qui importe, mon pote, et si tu ne comprends pas ça, tu ne comprendras jamais rien. Tu vois cette fenêtre, là-haut ? Il y a une petite fille qui est en train de mourir. Qu'est-ce que nous allons faire ? Moi, j'étudie la Torah de nouveau et je gagne ma croûte comme le dernier des pouilleux de New York. Non, tais-toi ! a-t-il crié quand j'ai fait mine de vouloir reprendre la parole, écoute-moi, pour une fois dans ta vie ! Depuis quelques mois, j'ai une petite amie. Elle veut un enfant, et j'en veux un aussi, intensément. Mais ça ne marche pas. Dès le début, j'ai eu l'intuition que ça ne marcherait pas. Je suis allé voir un médecin. Je suis stérile. Tu comprends ça ? Ça vient probablement des radiations. Je suis stérile, je ne pourrai jamais être père." Il s'est rapproché de moi. Je me sentais comme un enfant pris en faute, un très mauvais élève. "Walter..." Il m'a arrêté d'un geste. "J'ai discuté avec ta Joan hier soir. Ça m'a tout l'air d'être une fille formidable. Bien sûr qu'elle veut un enfant. Bien sûr, que tu vas lui en faire un. Je ne vais pas te laisser passer à côté de ta vie, imbécile. J'ai déjà failli passer à côté de la mienne." »*

Debra s'éteint le 16 décembre 1958, dans son sommeil. Une nouvelle fois, on cache les miroirs et on allume les chandelles.

Ralph et Walter, debout, prennent leur cousine dans leurs bras et se regardent en souriant tristement.

Assise sur le sofa, muette, Leah Mendelson fixe le néant, et c'est Frank, le merveilleux Frank, qui essaie de la consoler en lui tapotant la main.

Sous le porche glacé, Alfred s'allume une cigarette tandis que Judith, qui s'est approchée discrètement, le prend par la taille.

Doris, elle, est restée dans la chambre de la petite. Elle contemple le corps sans vie de l'enfant et se demande si elle croit encore en Dieu, avant de se rendre compte que la réponse est contenue dans la question.

Joan Berkovitz, partie faire une course, remonte Clayton Street à pas lents et lève les yeux vers la nuit emplie de brume.

Dehors, pour la première fois depuis bien longtemps, il s'est mis à neiger.

À la source

Le deuxième volet de *La Saga Mendelson* se termine le 15 octobre 1965, soit près de sept ans après la mort de Debra. Pourquoi une telle date ?

Parce qu'elle marque une nouvelle étape décisive dans la vie de la famille.

Parce que c'est ce jour-là que Ralph choisit de partir pour le Vietnam.

Curieusement, la première partie des années soixante représente, pour David et les siens, la période la plus paisible du siècle. Aucun mort, aucune crise, aucun départ : c'est comme si le temps s'était arrêté chez les Mendelson – comme s'il s'était lentement retourné, appuyé sur son bâton, pour observer le chemin parcouru.

Alfred s'est marié avec Judith. Il travaille pour les studios hollywoodiens en tant que *script doctor*, comme son oncle avant lui. Shirley et Frank, on l'a vu, ont accueilli un fils, Scott, né en 1964. Doris est toujours célibataire ; elle a trouvé un emploi au sein du Comité international de la Croix-Rouge et voyage désormais énormément.

Ralph vit en couple avec Joan : les deux tourtereaux ont acheté un appartement à Brooklyn, et le cadet des jumeaux seconde son père à l'agence *M. & Sons*. Walter les a rejoints en 1965. Il vit seul, pour sa part, mais s'en accommode fort bien.

La nouvelle génération avance avec assurance dans la nouvelle décennie.

L'Histoire, elle, poursuit sa course folle. Walter, qui se pique désormais d'art pictural, tente d'en saisir les soubresauts à travers de vastes compositions et collages qu'il ne dévoile qu'à quelques amis triés sur le volet. L'une de ces œuvres (reniée depuis) a survécu aux outrages du temps et à ses propres pulsions destructrices.

Mieux qu'un exposé fastidieux ou qu'un résumé par essence incomplet, elle offre un éclairage inédit sur la période, et illustre à merveille la devise nouvelle des Mendelson : témoigner et prendre part. On y reconnaît, pêle-mêle, le *Psychose* de Hitchcock, la guerre du Vietnam, Malcolm X et Martin Luther King, John Fitzgerald Kennedy et Marilyn Monroe, et une photo de marches pour les droits civiques auxquelles participeront Doris et Ralph avec beaucoup de détermination. Quelques hippies complètent l'ensemble, et l'affaire des missiles de Cuba,

Œuvre non titrée de Walter Mendelson (probablement 1965), archivée à la Maison Mendelson de Greenwich.

qui manquera faire basculer le monde dans la Troisième Guerre mondiale.

On pourrait se dire à contempler le tableau, que les Mendelson se sont tenus en retrait des années soixante : personne pour couvrir la campagne de JFK (ou son assassinat trois ans plus tard), personne pour serrer la main de Fidel Castro, personne pour suivre Marilyn sur le tournage des *Misfits*, pour écouter le « rêve » de Martin Luther King en 1963[1] ou pour chroniquer l'inénarrable tournée des Beatles en 1964.

---

1. *Devant plus de 250 000 personnes, le pasteur noir américain Martin Luther King prononce son discours* I have a dream.

David et les siens paraissent redevenir, le temps d'une respiration, des mortels comme les autres. Mais s'ils avaient seulement changé de point de vue. « Si une bombe tombait demain sur la ville, écrit même le patriarche en octobre 1962, au plus fort de la crise des missiles de Cuba, nous aurions du moins la certitude d'avoir vécu pleinement. »

« *J'ai mis mes activités d'enseignement entre parenthèses dès 1962, raconte de son côté Doris, pour rejoindre le Comité international de la Croix-Rouge à Washington. À partir de là, j'ai commencé à silloner le monde. Et ma façon de voir les choses a changé. Ce qui se passait aux États-Unis m'intéressait toujours, mais j'avais pris de la hauteur, et je cessais de regarder mon pays comme le centre de tout. Avec Israël, j'entretenais une histoire d'amour et de colère. Plusieurs fois, j'ai pensé m'installer là-bas. Mais j'aurais été si seule ! J'avais besoin de ma famille, quoi que j'en dise. Avec ma mère, avec mon frère et ma sœur, avec Roy évidemment, j'avais tissé des liens indéfectibles. Et il y avait mes cousins. Ai-je besoin de vous rappeler à quel point le monde nous a rapprochés ?* »

On entend chez Ralph un son de cloche similaire. « *J'ai intégré l'agence de mon père en mai 1964, et mon frère un an après : comme si toutes les trajectoires suivies par nous jusqu'alors n'avaient fait que converger subitement vers cet aboutissement. Je me suis fiancé en 1959, et nous nous sommes installés à Brooklyn avec Joan. Pour elle, c'était une nouveauté – elle n'avait dû mettre les pieds à New York que deux ou trois fois dans sa vie – mais, pour moi, c'était comme un retour aux sources, et je ne vous parle pas de Walter, qui s'était séparé de sa petite amie en 1960, à seule fin de s'inscrire dans un obscur cercle d'études hébraïques. Tous les trois mois, notre père nous faisait des appels du pied pour que nous rejoignions M. & Sons. Nous étions imaginatifs, selon lui, et têtus comme des mules. Nous savions écrire, nous avions tous deux hérité du gène paternel de la photographie. Que rêver de mieux ? Je travaillais dans une célèbre agence de publicité, à l'époque – McCann Erikson – comme concepteur-rédacteur. Je repartais de zéro, et Joan avait repris des études de droit, ce qui fait que nous avions souvent du mal à joindre les deux bouts. J'ai fini par céder aux sirènes paternelles, et Walter n'a pas tardé à emboîter le pas. Nous avions quarante ans. C'était à la fois très jeune et très vieux. Au bout de deux mois, je me suis senti comme un poisson dans l'eau. Indéniablement, cette agence avait été créée pour nous. J'avais l'impression que nous venions d'achever un long et périlleux voyage.* »

Le 15 octobre 1965 à New York est un jour de protestations contre la guerre du Vietnam. Entre les gratte-ciel, les slogans fusent, les visages se crispent, une détermination nouvelle se fait jour. Cet après-midi, plus de vingt mille manifestants se sont retrouvés à Manhattan.

Vingt mille ? Certes, le chiffre peut paraître modeste si on se réfère aux marches qui se tiendront par la suite. Pour l'époque cependant, il est considérable. *The times they are a-changin*[1], chante Bob Dylan. Les partisans de la paix commencent à comprendre que leurs conférences et leurs rassemblements pacifiques ne changeront rien à une donne immuable ; et si l'idée de désobéissance civile n'était pas qu'une idée ?

1. *Titre éponyme de l'album sorti en 1964, devenu très vite l'hymne de toute une génération.*

Le soir tombe. Des tracts volettent sur les trottoirs. Mains dans les poches, de retour vers l'agence, Ralph Mendelson réfléchit à sa vie. Derrière la vitrine, en ombres chinoises, il aperçoit la silhouette de son père. Le voici qui s'arrête pour allumer une cigarette. « Et maintenant ? » songe-t-il.

Ôtant son chapeau, il pousse la porte. Occupé à trier des papiers, son père lui indique une chaise. Ralph se laisse tomber. Des heures à battre le pavé et à crier, mégaphone au poing. Il est épuisé, il s'en rend tout juste compte. Mais un bonheur cruel ne cesse d'enfler dans sa poitrine. « Papa, finit-il par lâcher, j'ai réfléchi. » David relève la tête. « Je sais que cela ne va pas te faire plaisir, poursuit son fils. Alors voilà, je vais partir. Comme tu es parti un jour. Comme Walter est parti. »

Le patriarche secoue la tête. « Partir ? Au nom du ciel, mais pour aller où ? » Ralph Mendelson esquisse un geste, montre la rue, le ciel, le monde au-delà. « Là où les choses se passent, papa. À la source de la colère. »

David inspire, s'arrête net. « Le Vietnam, hein. » Il sourit. « Bah, nous autres, les Mendelson, devons avoir cela dans le sang. L'exil, l'insoumission. Au fond, et malgré l'irrépressible besoin de changement qui nous taraude, nous voulons toujours la même chose : être là où l'histoire se construit. Je suppose que tu as longuement réfléchi ? »

Ralph sourit à son tour. « Bien sûr que non. »

Table des matières

Les événements historiques
de 1930 à 1965

1930
L'aviateur français Jean Mermoz réalise la première traversée postale sans escale de l'Atlantique Nord (3450 km en 21h15).

1932
Aux États-Unis, affaire de l'enlèvement du bébé Lindbergh.

1933
30 janvier En Allemagne, Hindenburg nomme Adolf Hitler chancelier du Reich.
Le parti nazi devient parti unique (**14 juillet**).
5 décembre Fin de la Prohibition aux États-Unis.

1934
Nuit des longs couteaux à Munich. Au décès du président Hindenburg, Hitler prend les pleins pouvoirs.
Début de la *Longue Marche* de Mao Zédong en Chine.

1936
En France, victoire du Front Populaire.
Début de la guerre d'Espagne.
Les Jeux Olympiques à Berlin voient la naissance d'un grand champion noir américain : Jesse Owens.

1937
6 mai Explosion du Zeppelin *Hindenburg*.

1938
13 mars L'Allemagne envahit l'Autriche.
Signature des Accords de Munich.
Dans la nuit du **9 au 10 novembre**, pogrom sur tout le territoire du IIIe Reich, appelé *Nuit de cristal*.

1939
Fin de la guerre d'Espagne.
1er septembre L'Allemagne envahit la Pologne sans déclaration de guerre.
23 septembre Décès de Sigmund Freud, père de la psychanalyse.
Présentation à Hollywood du film *Autant en emporte le vent*.

1940
10 mai Invasion des Pays-Bas, de la Belgique et du Luxembourg par l'armée allemande.
Juin Les allemands entrent dans Paris.
Le maréchal Pétain demande l'armistice aux Allemands (**17 juin**). À Londres, le général De Gaulle lance un appel à la résistance (**18 juin**).

1941
7 décembre Le Japon coule la flotte américaine basée à Pearl Harbor.
Les États-Unis déclarent la guerre au Japon. La guerre devient mondiale.

1942
16-17 juillet Rafle du Vel'd'Hiv ; 13 000 Juifs sont arrêtés à Paris.
Lancement du Projet Manhattan, qui aboutira à la création de la première bombe atomique.

1943
L'armée allemande capitule à Stalingrad.

1944
6 juin Les alliés débarquent sur les plages de Normandie puis le **15 août** en Provence.

1945
Conférence de Yalta. Les Allemands signent la capitulation devant les Américains à Reims (**7 mai**) et les Russes à Berlin (**8 mai**).
Août L'armée américaine lâche la première bombe atomique sur Hiroshima puis sur Nagasaki trois jours plus tard.
Capitulation Japonaise.
Fin de la Seconde Guerre mondiale.
Création de l'ONU.
En France, les femmes ont le droit de vote pour la première fois.

1948
30 janvier Mahatma Gandhi est assassiné par un extrémiste hindou, qui le tient pour responsable de la partition de l'Inde
Création de l'État d'Israël.
Adoption de la Déclaration Universelle des droits de l'homme.

1949
Proclamation de la République populaire chinoise par Mao.

1950
Loi du Retour en Israël.
McCarthy instaure la « chasse aux sorcières » aux États-Unis.

1954
Début de la guerre d'Algérie.
Décès par suicide d'Alan Mathison Turing, précurseur de l'informatique.

1957
25 mars Le traité de Rome, signé par la Belgique, la France, le Luxembourg, les Pays-Bas, l'Italie et l'Allemagne, crée la C.E.E.
Spoutnik, premier satellite dans l'espace, lancé par l'U.R.S.S.

1962
Crise des missiles de Cuba, qui amène le monde au bord d'une guerre mondiale.
Fin de la guerre d'Algérie avec la signature des Accords d'Évian.

1963
22 novembre Assassinat de John F. Kennedy à Dallas.

1964
Les États-Unis s'engagent dans la guerre du Vietnam.

LA SAGA MENDELSON
À PARAÎTRE

TOME 3. LES FIDÈLES

Ralph Mendelson a rejoint l'agence de son père et fait la paix avec son frère, mais pas avec lui-même : au plus fort de la guerre du Vietnam, ce pacifiste convaincu part couvrir la terrible offensive du Têt. Tandis que sa femme, enceinte de leur premier enfant, se morfond à New York, l'audacieux reporter manque perdre la vie à plusieurs reprises...
Doris et son cousin Walter, eux, travaillent maintenant pour la Croix-Rouge Internationale. Alors qu'ils se trouvent en Chine, un tremblement de terre d'une incroyable violence les surprend pendant leur sommeil. Passé le premier moment d'effarement, ils doivent porter assistance à une population sous le choc.

Et les enfants ?
Qu'ils soient traducteur ou mannequin, guitariste ou neurochirurgien, les membres de la nouvelle génération Mendelson tracent vers le siècle nouveau des trajectoires inédites, tout en demeurant fidèles aux vertus d'engagement et de détermination qui sont devenues, en quelques décennies, la marque inimitable de leur famille.

Remerciements

L'éditeur et l'auteur remercient, pour leur précieuse collaboration : Karin Benzaquin, Gaëlle Cadoret, Aurora Chase-Taylor, Maryvonne Corrigou, Frédérique Deviller, Jean-Hugues Dupont-Garnier, Brian Evenson, Ulrich Faber, Lester Fredericks, G@rp, Letizia Goffi, Sharon Kerman, Alexandre Korta, Olivier Leroy, Aurora Leviero, Dominique Mathieu, Alfred Mendelson, Doris Mendelson, Leah Mendelson, Ralph Mendelson, Shirley Mendelson, Walter Mendelson, Marjorie Sanford, Carol Symanski, Galith Touati.

Crédits photographiques

Dépôt légal : Novembre 2009

Achevé d'imprimer en octobre 2009
sur les presses de Normandie Roto Impression s.a.s. 61250 Lonrai

N° d'impression : 093450

Imprimé en France

CONSULAR SERVICE
for preparing Alien's Declaration and admini
ribed by regulations of the Department of State
DINING ROOM
of FARE
July 20th,
DEPARTMENT OF HEALTH
CITY OF NEW YORK
BUREAU OF RECORDS
THIS IS TO ANNOUNCE THAT A
Certificate of Birth
OF LABOR